これだけで通じる！
韓国語会話
便利帳

鄭惠賢 著

池田書店

この本の使い方

この本は、韓国語をまったく知らない人でも使えるフレーズ集です。旅行などで使える実用的、かつ短いフレーズをまとめています。ハングルの読み仮名を読んだり、ハングルを指さしたりして使ってください。

●本文の基本構成

【ハングルの読み仮名】

ハングルにカタカナで読み仮名をふっています。カタカナは、できるだけ日本人が発音しやすく、また韓国人に通じやすいものにしました。韓国語は前後にくる音などによって、聞こえ方が変わることがあるため、フレーズによっては、同じ文字でもカタカナが違うことがあります。

「?」で終わる疑問文は、日本語と同様に、語尾を上げて発音してください。

【入れ替えフレーズ】

カードの部分を入れ替えれば、フレーズのバリエーションを増やせます。この例でいうと、「小さいサイズありますか?」「新しいものありますか?」といったように、さまざまなことを聞くことができます。

【参照ページ】

関連するフレーズの参照ページです。

ありますか?

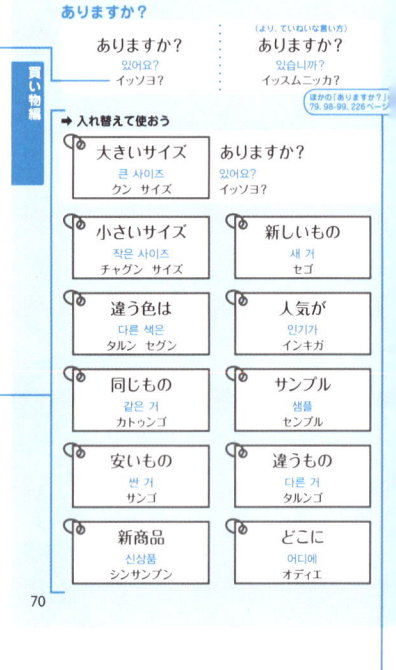

ありますか?
ありますか?
있어요?
イッソヨ?

(より、ていねいな言い方)
ありますか?
있습니까?
イッスムニッカ?

ほかの「ありますか?」
79、98-99、226ページ

買い物編

→ 入れ替えて使おう

大きいサイズ 큰 사이즈 クン サイズ	ありますか? 있어요? イッソヨ?
小さいサイズ 작은 사이즈 チャグン サイズ	新しいもの 새 것 セゴ
違う色は 다른 색은 タルン セグン	人気が 인기가 インキガ
同じもの 같은 거 カトゥンゴ	サンプル 샘플 センプル
安いもの 싼 거 サンゴ	違うもの 다른 거 タルンゴ
新商品 신상품 シンサンプン	どこに 어디에 オディエ

70

- 第1章「韓国の基本」では、韓国語の語順と文字、買い物事情などについて、かんたんに解説しています。
- 付録「索引機能つき よく使うフレーズ集」は、ごく短いひと言を本文から抜粋してまとめました。

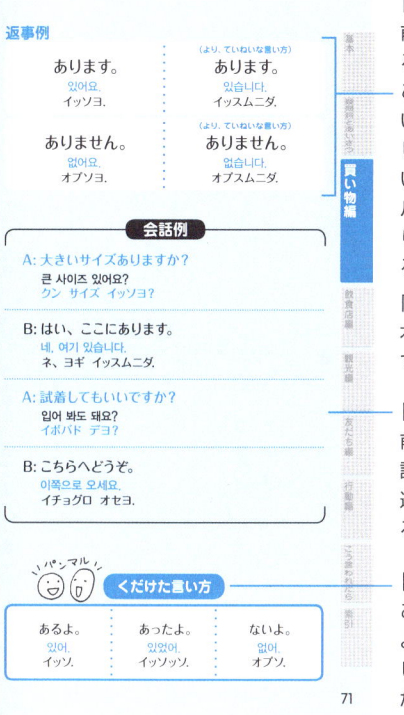

返事例

あります。
있어요.
イッソヨ.

(より、ていねいな言い方)
あります。
있습니다.
イッスムニダ.

ありません。
없어요.
オプソヨ.

(より、ていねいな言い方)
ありません。
없습니다.
オプスムニダ.

会話例

A: 大きいサイズありますか?
큰 사이즈 있어요?
クン サイズ イッソヨ?

B: はい、ここにあります。
네, 여기 있습니다.
ネ, ヨギ イッスムニダ.

A: 試着してもいいですか?
입어 봐도 돼요?
イボバド デヨ?

B: こちらへどうぞ。
이쪽으로 오세요.
イチョグロ オセヨ.

パンマル くだけた言い方

あるよ。	あったよ。	ないよ。
있어.	있었어.	없어.
イッソ.	イッソッソ.	オプソ.

【返事例】
前出の質問フレーズに対する応答例です。

この本では、「より、ていねいな言い方」も適宜、紹介しています。「より、ていねいな言い方」は、フォーマルな場面や、相手が自分より目上の人の場合に使われる表現です。

「．」で終わる平叙文は、日本語と同様に、語尾を下げて発音してください。

【会話例および column】
前出のフレーズを使った会話例です。ページ内容に関連するコラムを掲載しているところもあります。

【くだけた言い方】
これは、韓国ドラマなどでよく聞く言い方ですが、親しい友だちや年下の人にしか使えない表現です。相手によっては大変失礼になるので気をつけましょう。

これだけで通じる！
韓国語会話 便利帳
contents

第1章
韓国の基本

韓国語の基本 …………… 14
語順は日本語と同じ
助詞や漢字語がある
ていねいな言い方や
くだけた言い方がある
くだけた言い方は使い方に注意！

ハングルの基本 ………… 16
文字のしくみ
発音について
ハングルで「あいうえお」を表すと
日本人の名前をハングルで書くと
子音＋母音＋子音の
組み合わせを使う場合
自分の名前を書いてみよう

年上を敬う韓国人 ……… 22
年上を敬い、大切にする
かしこまった、
ていねいなお辞儀「ジョル」
韓国の祝日

試食はするけど、
試着はしない？ …………… 24
韓国人は試着をしない？
韓国は試食天国！
カード払いは5％上乗せ？

持ち込みも、
温めなおしもできる！…… 26
料理を注文してみよう！
持ち込みOK！ テイクアウトもOK！
食べかけでも、温めなおしてくれる

乗り物を
活用しよう！ ……………… 28
交通カードを利用しよう
チャージの方法は？
車内販売、利用する？ しない？
地下鉄を乗りこなそう！
バスを乗りこなそう！
地方への高速バスを乗りこなそう！
●ちょっとひと息1
看板を読んでみよう ……………… 32

第2章
これだけフレーズ
疑問詞とあいさつ

何 ……………………………… 34
何ですか？
何を〜？
何が〜？
何と言いますか？

誰 ……………………………… 36
誰ですか？
誰が〜？
誰の〜？

どこ …………………………… 38
どこですか？
どこ〜？
どこに〜？

いつ …………………………… 40
いつ〜？
「いつ〜？」に答える単語

なぜ …………………………… 42
なぜ〜？
どうして〜？

4

どうやって ……………… 44
どうやって〜?
どのように〜?

どれだけ ………………… 46
どれだけ〜?
いくら〜?
どれくらい〜?

どう ……………………… 48
どうですか?
最初に話題にあげる場合の言い方
すでに話題になっている場合の言い方

あいさつのいろいろ① … 50
こんにちは／はじめまして
「おはようございます」として使う言葉
「お元気ですか?」として使う言葉

あいさつのいろいろ② … 52
いただきます／また明日
おめでとうございます

お礼を言う ……………… 54
ありがとう
どういたしまして

お願いする ……………… 56
お願いします
〜してください
〜しないでください

確認する ………………… 58
いいですか?
何時ですか?
おいしいですか?
おもしろいですか?

謝る ……………………… 60
ごめんなさい
〜して申し訳ありません

返事する ………………… 62
はい／いいえ
あいづち

● ちょっとひと息2
あいさつしてみよう ……… 64

第3章
これだけフレーズ 買い物編

いくらですか? ………… 66
値段を聞く
まけてもらう
数字(金額などを言うとき使う数字)
お金の単位

ください ………………… 68
ください
〜してください
〜ウォンにしてください

ありますか? …………… 70
ありますか?
入れ替えて使おう
返事例

いいですか? …………… 72
〜してもいいですか?
返事例

見てもいいですか? …… 74
見てもいいですか?／
〜してみてもいいですか?
試着してもいいですか?
返事例

5

感想を言う……76
入れ替えて使おう
きれい！
感想を伝える

色・柄・形を表す単語……78
色
柄
形
色や柄を尋ねるフレーズ

韓国のサイズ表示（洋服、靴、下着類）……80
女性用洋服（S～XL）
女性用洋服（7号～13号）
女性用洋服（胸囲）
女性用下着（ショーツ）
女性用下着（ブラジャー）
男性用洋服（S～XL）
男性用洋服（胸囲で表示する）
靴のサイズ
サイズを確認するフレーズ

洋服の名前……82
洋服
袖の長さ
服飾雑貨
装身具

化粧品……84
化粧品の名称
肌の悩み・化粧品の効果
肌の悩みを相談するフレーズ

できますか？……86
できますか？
～することができますか？

お店の人にお願いする……88
値段についてお願いするフレーズ
品物についてお願いするフレーズ
会計のときお願いするフレーズ

数を言う①……90
1～21
22～45

数を言う②……92
46～66
67～90
数字に添える単語

断る……94
断るフレーズ
断る理由を言う場合
●ちょっとひと息3
コスメの表示を読んでみよう……96

第4章
これだけフレーズ 飲食店編

ありますか？……98
ありますか？
入れ替えて使おう
～はありますか？
返事例

2人です……100
～人（名）です
食堂でのお決まりフレーズ
お店の人がよく言うフレーズ
お店の人に言うフレーズ

ください……102
～ください
メニュー／お手ふき

してください……………104
~してください
食堂でよく使うフレーズ
お店を出るときに使うフレーズ

おいしいです……………106
おいしいです
おいしくないです
味の感想を言う

辛いですか?……………108
味を聞く
同意する言い方

いいですか?……………110
~いいですか?
「~いいですか?」の別の言い方

食べ物の名前……………112
人気の韓国料理
鍋料理/汁物
肉料理

食材の名前……………114
野菜
魚介類
調味料など

食器・調理器具の名前……………116
食器類
調理器具類
入れ替えて使おう

おいしいお店を探す………118
~が食べたいのですが
どこですか?
詳しく聞く

出前を頼む……………120

頼んでいません……………122
頼んだものと違うときなどに使うフレーズ
そのほか、何かが違うときに使うフレーズ

できますか?……………124
できますか?
~できますか?
返事例

おなかいっぱいです……126
おなかいっぱいです
おなかすきました

●ちょっとひと息4
キムチを使った家庭料理…………128

第5章
これだけフレーズ 観光編

行きますか?……………130
行きますか?
入れ替えて使おう
ソウル・地下鉄駅名
地方
空港
返事例

行きたいです……………132
行きたいです
入れ替えて使おう
場所「~に」
乗り物「~で」
誰と

乗り物……………134
乗り物
地下鉄
入れ替えて使おう

7

行ってください……………136
行ってください
入れ替えて使おう
運転手さんが行き先を
知らなかったら
〜行ってください

ください／
してください………………138
ください
入れ替えて使おう
入れ替えて使おう

チケット予約……………140
予約する
いつ？
チケットの区分
日時
曜日
枚数

方向を示す表現…………142
行ってほしい方向を示す表現
東西南北
前後左右
〜してください
目印になるようなもの

降ります……………………144
降ります
バス・電車・タクシーなどで
使える表現
組み合わせて使おう
バスのアナウンス例

行けますか？………………146
行けますか？
入れ替えて使おう
返事例

何時ですか？………………148
何時ですか？
入れ替えて使おう
電車、バスに関する
「何時ですか？」

何時から何時まで？……150
何時からですか？
〜は何時からですか？
何時までですか？
〜は何時までですか？
何時までに〜？

できますか？………………152
できますか？
〜できますか？
返事例

曜日と時間、
昨日・明日………………154
曜日
時間
いつ
時間に関するフレーズ

月日…………………………156
〜月
年月日
〜日

どのくらい
かかりますか？…………158
どのくらいかかりますか？
入れ替えて使おう
入れ替えて使おう
時間はかかりません

●ちょっとひと息5
地下鉄で困ったときの
とっさのひと言……………………160

第6章 これだけフレーズ 友だち編

はじめまして ………… 162
初対面のあいさつ
相手に質問する

自己紹介する ………… 164
私の名前は〜です
入れ替えて使おう
入れ替えて使おう
入れ替えて使おう

相手のことを聞く① …… 166
彼女はいますか？
返事例
結婚していますか？
返事例
いつまで滞在しますか？
なぜ勉強していますか？
返事例

相手のことを聞く② …… 168
血液型は何ですか？
返事例
干支は何ですか？
十二支
専攻は何ですか？
専攻のいろいろ

相手の好みを聞く ……… 170
好きですか？
入れ替えて使おう
好きな〜は？

提案する① …………… 172
行きましょう
見ましょう
食べましょう
〜しましょう

提案する② …………… 174
休みましょう
入れ替えて使おう
〜なので休みましょう
お茶しましょう／
一杯やりましょう
乾杯！

約束をする …………… 176
会いましょう①
入れ替えて使おう
会いましょう②

どこに住んで いますか？ …………… 178
どこに住んでいますか？
出身はどこですか？
どこから来ましたか？
入れ替えて使おう

相手の年齢を聞く ……… 180
何歳ですか？
答え方
ほかの答え方
ていねい語／ぞんざいな話し方

家族について聞く ……… 182
入れ替えて使おう
返事例
夫婦
家族・親族

家族・親族の 呼び方① …………… 184
祖父・祖母
おじ・おば

9

家族・親族の呼び方② ……………… 186
きょうだい（自分が女性の場合）
きょうだい（自分が男性の場合）

友だちになる ……………… 188
友だちになってください
入れ替えて使おう
韓国語を教えてください
〜を教えてください
入れ替えて使おう
年上の友だちの呼び方
先輩・後輩など

今の気持ちを聞く ……… 190
楽しいですか？
うれしいですか？
おもしろいですか？
気分がいいですか？
悲しいですか？
怒っていますか？
秘密です

●ちょっとひと息6
友だち同士の距離感 ………………… 192

第 **7** 章
**これだけフレーズ
行動編**

朝起きてから
寝るまで ……………… 194
起きます
電話をします

食べます／飲みます ……196
食べます
飲みます
入れ替えて使おう

行きます／来ます ……… 198
行きます
来ます
入れ替えて使おう
入れ替えて使おう

帰ります／
帰ってきます ……………… 200
帰ります
帰ってきます
これから帰ります

疲れます／大変です …202
疲れます
大変です
今日は疲れました

乗ります／降ります …204
乗ります
降ります
飛行機に乗ります

歩きます／走ります …206
歩きます
走ります
三清洞まで歩きます

急ぎます／
ゆっくりします ………… 208
急ぎます
ゆっくりします
駅まで急いで行きます

買います／
もらいます ………………… 210
買います
もらいます
入れ替えて使おう
入れ替えて使おう

痛いです／
病気の症状 ……… 212
痛いです
入れ替えて使おう
そのほかの病気の症状

乗り換えます ……… 214
乗り換えます
入れ替えて使おう
どこで乗り換えますか？

～したことが
あります ……… 216
行ったことが／したことが
見たことが／乗ったことが
食べたことが／飲んだことが
作ったことが

できます／～する
ことができます ……… 218
できます
入れ替えて使おう
～することができます

できません／～する
ことができません …… 220
できません①
できません②

座ります／立ちます … 222
座ります
立ちます
ここに座ります
● ちょっとひと息7
韓国人的な旅行の楽しみ方 …… 224

第 8 章
これだけフレーズ
こう言われたらこう返そう

お店で商品を
見るとき ……… 226
いらっしゃいませ
商品を見ていたら
感想を言うフレーズ
買おうかどうしようか
悩んでいるとき
お店を出るとき

「待って」と
言われたとき ……… 228
待ってください
返事例（待つ場合）
返事例（待てない場合）
返事例
（なぜ待つのかわからない場合）

どこでもいいか
聞くとき ……… 230
どこでもいいですか？
どこに座ってもいいですか？
何でもいいですか？
返事例

レジで会計するとき … 232
カード払いですか？
もう一度言ってください
金額が違います

道を聞かれたとき …… 234
～に行きますか？
返事例
～はどこですか？
返事例

11

電車やバスに乗っているとき……236
降りますか？
席を譲るとき／譲られるとき
お年寄りが言うセリフ
前に立つ人の荷物を
持ってあげるとき

ほめられたとき……238
お上手ですね
そのほかのほめ言葉
返事例

相手をねぎらうとき……240
お疲れさまです
疲れましたね
返事例

あいさつされたとき……242
こんにちは
ご飯食べましたか？
ありがとうございます
はじめまして
さようなら

友だちや家族とのあいさつ……244
来た？
ご飯食べた？
待った？
元気？

注意されたとき①……246
〜してはいけません
返事例
だめですか？

注意されたとき②……248
やめてください
〜しないでください
返事例

何を言われたかわからないとき……250
わかりません
日本語がわかる人はいますか？

相手がわかったかを聞くとき……252
わかりますか？
（理解していますか？）
返事例
わかりますか？
（知っていますか？）
返事例

緊急のとき……254
助けてください
体調が悪いとき
叫んで知らせよう！

●ちょっとひと息8
日本とは違う韓国の
サービス感覚……256

付録
索引機能つき よく使うフレーズ集

第1章
韓国の基本

韓国語の語順、文字などについて、少しだけ解説しました。
自分の名前をハングルで書くアドバイスもあります。
意外にかんたんなので、ぜひ挑戦してみてください。
またこの章では、韓国の買い物事情、飲食店事情、
交通事情などについても紹介しています。

韓国の基本

韓国語の基本

語順は日本語と同じ

　日本語と韓国語の語順は、ほとんど同じです。ですから、文章を作るときには、日本語で考えた通りに韓国語を並べていけばよいのです。日本語で語順を入れ替えられる部分は、韓国語でも同じように入れ替えることができます。

1	2	3
韓国に	**友だちと**	**行きたいです。**
한국에	친구하고	가고 싶어요.
ハングゲ	チングハゴ	カゴシボヨ.

↓「韓国に」と「友だちと」を入れ替えても OK。

2	1	3
友だちと	**韓国に**	**行きたいです。**
친구하고	한국에	가고 싶어요.
チングハゴ	ハングゲ	カゴシボヨ.

助詞や漢字語がある

　韓国語にも「〜が」「〜と」「〜に」などの助詞があり、これも日本語と同様に名詞につけるだけです。ただし、名詞とつながった場合、発音が変化することがあります。この本では、変化した発音を紹介していますので、そのまま発音してみてください。

韓国	＋	(助詞) **に**	＝	**韓国に**
한국		에		한국에
ハング**ク**		**エ**		ハング**ゲ**

14

また、韓国語の表記はすべてハングルですが、もとは漢字から成り立つ単語（漢字語）も多く、日本語の漢字語と同じものもたくさんあります。

(ハングル表記)　　　　(漢字表記)
한국　　　　＝　　　　韓国

ていねいな言い方やくだけた言い方がある

儒教の国・韓国では、目上の人への言葉遣いには気をつけなければなりません。実際には、相手やその人との関係性で言葉を使い分けます。この本では、どんな相手にも失礼にあたらない、うちとけた、ていねいな言い方を中心に、ときどき、くだけた言い方も紹介しています。

(より、ていねいな　　(うちとけた、
言い方)　　　　　　ていねいな言い方)　　(くだけた言い方)

こんにちは。　　　**こんにちは。**　→　**やあ。**
안녕하십니까?　　　안녕하세요?　　　　안녕?
アンニョンハシムニッカ?　アンニョンハセヨ?　　アンニョン?

くだけた言い方は使い方に注意!

韓国ドラマのセリフには、くだけた言い方（パンマル）も多く使われています。この本でも、くだけた言い方を紹介していますが、この言葉は親しい友だちや年下にしか使えません。相手を考えて注意して使いましょう。

〈初対面に限らず、目上の人に向かって〉

OK!!　**こんにちは。**　　　NG!!　**やあ。**
안녕하세요?　　　　　　　　　안녕?
アンニョンハセヨ?　　　　　　　アンニョン?

韓国の基本

ハングルの基本

文字のしくみ

　最初は、記号にしか見えないハングルですが、組み合わせのしくみがわかれば、難しくはありません。ハングルは、子音と母音が組み合わさって、1つの文字ができています。ローマ字を書くように考えてみると、わかりやすいでしょう。

子音	母音	カ
ㄱ	ㅏ →	가
k +	a	ka

　kの子音を表す「ㄱ」とaの母音を表す「ㅏ」を組み合わせて1文字になり、「カ」と読みます。

子音	母音	ア
ㅇ	ㅏ →	아
無声 +	a	a

　母音「ㅏ(a)」だけの音は、無声(音がないこと)を表す子音「ㅇ」と組み合わせて1文字になり、「ア」と読みます。

　左に子音、右に母音という組み合わせ以外に、上に子音、下に母音を組み合わせる文字もあります。

子音	母音	ク
ㄱ	ㅜ →	구
k +	u	ku

また、次のように、子音と母音、さらに子音が組み合わさって 1 文字になるものがあります。

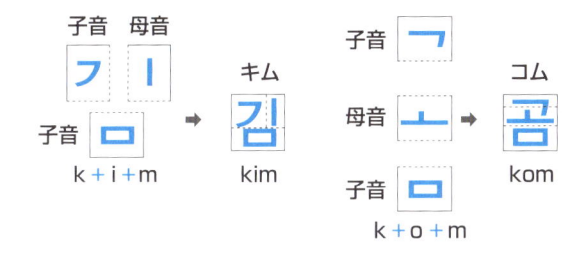

```
子音  母音                子音  ㄱ
 ㄱ   ㅣ       キム                     コム
          ➡   김       母音  ㅗ   ➡  곰
子音  ㅁ                子音  ㅁ
  k + i + m    kim                       k + o + m
```

　김も곰も子音で終わる音を表す文字です。そう聞くと難しいように思うかもしませんが、日本語で言うと「えっ」「うん」などが子音で終わる言葉です。

発音について

　左ページで紹介した文字「가」の実際の発音は、「カ」と「ガ」の間の音です。たとえば、「金浦（空港）」の英語表記が「kimpo」「gimpo」の 2 種類あるのはそのためです。さらに、日本語で「橋」の発音は「はし」ですが、前に何かつくと「ばし」になるように（例：日本橋　にほんばし）、韓国語も文頭にある場合は「カ」に近い音でも、文中にくると「ガ」に近い音になることがあります。

　この本ではハングルが読めない人のためにハングルにカタカナで読み仮名をふっています。カタカナは、できるだけ日本人が発音しやすく、そして韓国人に通じやすいものを意識しました。同じ文字でもカタカナが多少違うことがありますが、それはこのためです。

韓国の基本

ハングルで「あいうえお」を表すと

　ハングルは表音文字（音を表す文字）なので、日本語の発音もハングルで表すことができます。日本語の五十音をハングルで表してみましょう。

あ行〜わ行、ん、っ

あ行	あ 아	い 이	う 우	え 에	お 오
か行	か 카	き 키	く 쿠	け 케	こ 코
さ行	さ 사	し 시	す 스	せ 세	そ 소
た行	た 타	ち 치	つ 쯔	て 테	と 토
な行	な 나	に 니	ぬ 누	ね 네	の 노
は行	は 하	ひ 히	ふ 후	へ 헤	ほ 호
ま行	ま 마	み 미	む 무	め 메	も 모
や行	や 야	／	ゆ 유	／	よ 요
ら行	ら 라	り 리	る 루	れ 레	ろ 로
わ行 ん、っ	わ 와	を 오	ん ㄴ	っ ㅅ	／

が行〜ば行、ぱ行

*清音と濁音の中間の音。文中では大概、濁音になる。

が行*	が 가	ぎ 기	ぐ 구	げ 게	ご 고
ざ行*	ざ 자	じ 지	ず 즈	ぜ 제	ぞ 조
だ行*	だ 다	ぢ 지	づ 즈	で 데	ど 도
ば行*	ば 바	び 비	ぶ 부	べ 베	ぼ 보
ぱ行	ぱ 파	ぴ 피	ぷ 푸	ぺ 페	ぽ 포

きゃ行〜りゃ行、ぎゃ行〜びゃ行、ぴゃ行

きゃ行	きゃ 캬	きゅ 큐	きょ 쿄	ぎゃ行	ぎゃ 갸	ぎゅ 규	ぎょ 교
しゃ行	しゃ 샤	しゅ 슈	しょ 쇼	じゃ行	じゃ 자	じゅ 주	じょ 조
ちゃ行	ちゃ 차	ちゅ 추	ちょ 초				
にゃ行	にゃ 냐	にゅ 뉴	にょ 뇨				
ひゃ行	ひゃ 햐	ひゅ 휴	ひょ 효	びゃ行	びゃ 뱌	びゅ 뷰	びょ 뵤
みゃ行	みゃ 먀	みゅ 뮤	みょ 묘	ぴゃ行	ぴゃ 퍄	ぴゅ 퓨	ぴょ 표
りゃ行	りゃ 랴	りゅ 류	りょ 료				

韓国の基本

日本人の名前をハングルで書くと

　前のページの表を参考にして、なぞって書いてみましょう。注意するのはハングルでは伸ばす音を表す文字がないことです。たとえば「さとうゆうこ」の場合、ハングルの表記は「さとゆこ」となります。

例）　佐藤　裕子　＊「う」（伸ばす音）は表記しない。

사 토	유 코		
さ と	ゆ こ		

토の ㅗ、코の ㅗ は「オ」の母音です。

　　　田中　宏

타 나 카	히 로 시		
た な か	ひ ろ し		

타の ㅏ、나の ㅏ、카の ㅏ は「ア」の母音です。

　　　鈴木　太郎　＊「う」（伸ばす音）は表記しない。

스 즈 키	타 로		
す ず き	た ろ		

스の ㅡ、즈の ㅡ は「ウ」の母音です。키の ㅣ は「イ」の母音です。

　　　中川　美穂

나 카 가 와	미 호		
な か が わ	み ほ		

미の ㅣ は「イ」の母音です。

子音＋母音＋子音の組み合わせを使う場合

「じゅん」「けん」など「ん（nの子音)」が入っている名前で、子音＋母音＋子音の組み合わせを使う例を説明します。

例）山本　健

야마모토 켄
やまもと　けん

| | | | | | |

켄_{け ん}と ㄴ を組み合わせて「けん」の音を表します。
마のㅁ、모のㅁは「m」の子音です。

横井　順子

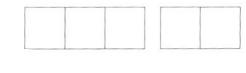

요코이 준코
よ こ い じゅんこ

| | | | | |

준_{じゅ ん}と ㄴ を組み合わせて「じゅん」の音を表します。
코のㅋは「k」の子音です。

自分の名前を書いてみよう

では、自分の名前をハングルで書いてみましょう。

姓　　　　　　　　　名

[　　　　　　　　　　　　　　　]

韓国の基本

年上を敬う韓国人

年上を敬い、大切にする

　韓国では儒教の教えに従い、年配の人をとても大切にします。ご先祖さまも同様に大切にし、亡くなってから何十年も法事を行います。年配の人に対しては親切に、ていねいに接し、目の前ではタバコは吸わず、お酒は横を向いて手で隠しながら飲み、だらしない姿勢をしたり背を向けたりはしません。

　バスや電車で、若い人が年配の人に席をゆずらないで座っていると、周囲の人から「席をゆずりなさい」と注意されることもあります。食事の席でも一番年上の人が箸をつけるまで、食べ始めることができません。

　特に、言葉遣いには気をつけなければなりません。年配の人に対しては、この本で紹介している「より、ていねいな言い方」を使うことをお勧めします。間違っても「くだけた言い方（パンマル）」を使ってはいけません。たとえ外国人旅行者でも怒られることがあります。

かしこまった、ていねいなお辞儀「ジョル」

　ドラマなどで、ときどき土下座とも違うていねいなお辞儀をする姿を見たことがあると思います。あれは「절　ジョル」と呼ばれるお辞儀です。たとえば、新婚旅行から帰って来て家族に「無事戻りました」とあいさつするとき、このジョルをします。

　ほかには、お正月のあいさつとして、正座をして頭を深く下げた後、立ち上がってさらに頭を下げるものもあります。女性も同じようにしてもかまわないのですが、チマチョ

ゴリを着て膝を立てて座ると、裾がきれいに広がることから、立て膝の状態で頭を下げます。

亡くなった人に対してジョルをするときは、同じ動作を2回繰り返します。もしジョルをする機会があったら、くれぐれも回数だけは間違わないようにしましょう。

韓国の祝日

韓国は、日本と比べるとかなり祝日が少なく、日本のように振り替え休日もありません。ですから、祝日が週末にあたってしまうと、いつもの週末と変わりありません。

韓国の重要な祝日といえば、「설날 ソルラル（旧正月）」（旧暦1月1日）と、日本のお盆にあたる「추석 チュソク（秋夕）」（旧暦8月15日）です。両日とも旧暦で日が決まるため、毎年違う日になり、それぞれ当日と前後の2日を合わせて3日間が連休になります。

この祝日には、親族一同が本家に集まる慣習があり、あちこちで帰省ラッシュとなります。また、この時期はお店がお休みになることも多いので、旅行の計画を立てるときには注意してください。

韓国の基本

試食はするけど、試着はしない？

韓国人は試着をしない？

　洋服を買おうとするときは、試着してから買いたいものですが、デパートやファッションビル以外の地下街や市場などには試着室がほとんどありません。

　試着室が見当たらないときは「입어 봐도 돼요？　イボバド デヨ？（試着してもいいですか？）」（➡ p.75）と聞いてみましょう。店員に「이쪽으로 오세요.　イッチョグロ オセヨ.（こちらへどうぞ）」（➡ p.226）と言われたとしても、店の奥やディスプレイの陰など、ちょっと驚くような場所で試着を勧められるかもしれません。

　場合によっては、ゴムスカートのようなものを渡され、ゴムの部分をウエストや首にあてて、その布の下で着替えるように言われることもあるかもしれません。日本人は試着をしてから買うか買わないかを決める人が多いですが、韓国人は試着をしないで買う人もいるようです。

韓国は試食天国！

　韓国では、スーパーマーケットやデパートの食料品売場、市場など、いろいろなお店で試食ができるので、遠慮なくどんどん試食しましょう。

　もし気になる商品があって味見がしたいときは、とりあえず「먹어 봐도 돼요？　モゴバド デヨ？（食べてみてもいいですか？）」（➡ p.74）と聞いてみてください。試食の用意がなくても、試食させてくれることもあります。

　たまに、試食用のものでないのに勝手に商品を口にして、店員さんに「それは商品ですから！」と止められている人

も見かけます。それだけ韓国では、試食してから購入することが多いということでしょう。

カード払いは5％上乗せ？

特に路面の衣料品店で購入するとき、カード払いだと手数料として5％を加算されることがよくあります。お店の人はそのことを必ずお客さんに説明するのですが、韓国語がわからず、あとで請求を見てビックリ……ということもありえます。せっかく「깎아 주세요. カッカ ジュセヨ．（まけてください）」（→ p.68）とお願いして値引きしてもらっても、手数料を取られては意味がありませんね。

韓国の基本

持ち込みも、温めなおしもできる！

料理を注文してみよう！

　韓国の飲食店は、それぞれの料理ごとの専門店になっていることが多く、専門店の場合、1つのお店でサムゲタンとスンドゥブチゲとビビンバを注文する、といったことはできません。サムゲタンが食べたかったら、「○○삼계탕○○サムゲタン」と書いてあるお店に行きます。

　お店に入ると、メニューは大概2～3種類しかないので、隣の席でおいしそうなものを食べていたら、「あれ（をください）」というように指さして、欲しい数を指で表し、「하나 주세요. ハナ ジュセヨ．（ひとつください）」とか「두 개 주세요. トゥゲ ジュセヨ．（ふたつください）」（→p.102）と言えば、十分通じます。

　でも、この本を手にした人は、ぜひ4章で紹介しているフレーズを使って、お店の人とコミュニケーションを図ってみてください。韓国人は韓国語を一生懸命使おうとしている日本人を、温かく受け止めてくれるはずです。

持ち込み OK！　テイクアウトも OK！

　日本の飲食店では、食べ物や飲み物を持ち込むことはできませんが、韓国には持ち込みを許してくれるお店があります。たとえば、カフェで買ってテイクアウトした飲み物を、飲みかけのまま食堂に持ち込んで飲みながら食事をしたり、パンやお菓子などを買ってその後入った別の店で食べることもあります。そのくせで韓国人は日本でも飲食店で、持ち込んだ飲み物やお菓子を食べようとしてしまい、一緒にいる日本人に止められることもよくあります。

　持ち込んでも大丈夫か心配ならば、持ち込んだものを見せながら「여기서 먹을 수 있어요？　ヨギソ モグルス イッソヨ？（ここで食べられますか？）」（→ p.124）と聞いてみてください。

　注文した料理が食べきれなかった場合は、持ち帰りもできます。食べかけの料理が残ってしまったときには、「포장돼요？　ポジャンデヨ？（持ち帰ることができますか？）」（→ p.124）と聞いてみましょう。

食べかけでも、温めなおしてくれる

　韓国の飲食店では、食べかけの料理も温めなおしてもらえます。温かい料理は温かい状態で、おいしく食べてほしいという気持ちがあるからです。特にプデチゲなどの鍋料理はお酒を飲みながら食べていると冷めてしまいますが、そんなときは遠慮なく、「데워 주세요．テオ ジュセヨ．（温めなおしてください）」（→ p.104）とお願いしてみてください。わざわざ頼まなくても「데워 드릴까요？　テオ ドゥリルッカヨ？（温めなおしましょうか？）」と聞いてくるお店もあります。遠慮なくお願いして、温かい料理を最後までおいしく食べてください。

韓国の基本

乗り物を活用しよう！

交通カードを利用しよう

　韓国にも、日本の「suica」や「ICOCA」のような交通カード、「T-money」「ハナロカード（釜山エリア）」などがあります。これらのカードをはじめて購入するときは、駅やコンビニでデポジット＋チャージ料を支払います。コンビニなどではカード型でなくストラップ型のものも販売していて、それを選ぶのも楽しみのひとつです。

　このカードで、電車にもバスにも乗ることができ、しかも1回ずつ料金を支払うよりも安く料金が設定されているので、旅行中、電車やバスに何度も乗る場合には、このカードを使ったほうがお得です。さらに、バスから地下鉄に、あるいは地下鉄からバスに乗り換えるときには乗り継ぎ料金が適応されます。

　たとえば、バスから地下鉄に乗り換えるときには、バスに乗るときと降りるときに、機械のセンサー部分にカードを「ピッ」とタッチし、そのあと一定時間内に地下鉄に乗れば、自動的に乗り継ぎ料金が適応されます。乗り継いだときには、「환승입니다. ファンスンイムニダ.（乗り換えです）」と機械がアナウンスします。

　また、このカードが使えるタクシーもあります。タクシーの運転席と助手席の間に交通カードをかざす機械があれば使えるはずです。多めにチャージしておけば、乗り物全般で広く使えるので、小銭の準備が不要でとても便利です。

チャージの方法は？

　交通カードのチャージは、日本と違い、地下鉄の改札近

くにある機械にカードをかざしてチャージ金額を選択し、お金を入れるだけです。最近は日本語モードを選べば日本語で表示される機械もあるようです。

　チャージはコンビニでもできます。入り口付近に交通カードのマークがあれば、カードの取扱店です。レジで店員さんにカードとチャージしたい額のお金を渡せば、何も言わなくてもチャージしてくれるでしょう。「チャージをお願いします」は「충전해 주세요. チュンジョネ ジュセヨ.（チャージしてください）」（→ p.139）というフレーズを使います。

車内販売、利用する？ しない？

　韓国の地下鉄に乗っていると、車内で便利グッズや本、CDなどを売っている人を見ることがあるかもしれません。本当は法律で禁止されているので最近はこういう物売りはかなり減りましたが、取り締まりの目を盗んで商売をしている人もまだいます。乗客のほうも、商品が欲しいものだったら購入しています。たまに商品を勝手に乗客に配るツワモノもいますが、買いたくなければそのまま手にしていれば、買わない人からは回収していくので大丈夫です。

地下鉄を乗りこなそう！

　ソウル市内の地下鉄は、1号線から9号線まであります。それぞれ路線カラーが決まっていて、1〜9号線の駅名の表示板には3桁の番号がついています。最初（百の位）の数字は何号線なのかを示し、下2桁の数字は駅の順番を示しています。

　たとえば、明洞（ミョンドン）駅は「424番」ですが、これは「4号線の24番目の駅」ということを表しています。目的地に向かうためには、目的地の駅の番号を見て、下2桁の数字が今いる駅から多くなる方向か、少なくなる方向かを考えて乗ればよいでしょう。

バスを乗りこなそう！

　バスも車体の色や番号で、どの路線かがわかるようになっています。目的地に向かうには「何色の何番バスに乗ればいいのか」を調べておきます。乗る際は、交通カードか小銭の準備をしておきましょう。最近は交通カードが主流なので、料金を現金で支払う場合はおつりのないよう

にしないと、バスにおつりの用意がなくて困ることがあります。

　ソウルや釜山の中心部では、バス停に「○番のバスがあと何分で到着する」と表示されるところもあります。待つのが嫌いでせっかちな韓国人には大事な情報です。到着時間が近づいたらバスが来る方向をしっかり見て、乗りたいバスを見つけましょう。

　1つの停留所に複数の路線バスが止まる場合は、定位置に止まらず、停留所付近の適当な場所に止まることもあります。日本のように順番に並んで待っているわけではないので、バスが到着したらバスに向かって走り、早い者順で乗り込みます。降りるときは、降りる1つ前のバス停を過ぎたら降り口付近に移動して準備しておかないと、間に合わないということにもなりかねません。日本のように降りる人をゆっくり待ってはくれないのです。

地方への高速バスを乗りこなそう！

　ソウル駅には、高速バスターミナル、東ソウルバスターミナル、上鳳（サンボン）ターミナルの3つがありますが、目的地によって出発場所が異なります。高速バスの本数は多いので、帰省時期など特別な時期に重ならない限り、チケットはスムーズに買うことができます。

　「目的地までの鉄道とバスの所要時間がほとんど同じだが、バスはそんなに速く走るのか？」と疑問に思う日本人も多いようですが、韓国では高速道路に高速バス専用の車線があり、一般車が渋滞していても高速バスはスムーズに走れるので、バスもかなり正確な時間に到着するのです。サービスエリアでトイレ休憩もあるので、片道3時間くらいのところならば高速バスを利用してみてください。

韓国の基本

ちょっとひと息 1

看板を読んでみよう

ローマ字のように読めるハングル

この章で説明したように、ハングルは子音と母音、また子音と母音と子音が組み合わさってできている文字で、ローマ字のような感覚で読めるものです。

ハングルにも縦書きと横書きがある

ハングルは、日本語と同じように、縦書きにも横書きにもできます。次の2枚の写真を見てください。ハングルで書かれた看板です。なんと書いてあるでしょうか。

◀これは駅名です。「서울 ソウル」と2文字が横書きされています。「ウル」の「ル」は子音です。

◀これは縦書きされたハングルです。「서울 시티 투어 ソウル シティ トゥオ」と書かれています。意味は「ソウル シティツアー」です。

看板やメニューの文字が読めるようになると、きっと楽しいと思います。韓国に行ったら、ぜひいろいろな看板を読むのにチャレンジしてみてください。

第 2 章
これだけフレーズ
疑問詞とあいさつ

まずは、「何?」「どこ?」「いつ?」など、
ひと言で聞ける疑問詞から始めましょう。
あわせて「こんにちは」「ありがとう」「ごめんなさい」
などのあいさつフレーズもいろいろ紹介しています。
ハングルの読み仮名を声に出して読んだり、
ハングルを指さしたりして使ってみましょう。

잘가

何

疑問詞とあいさつ

何ですか?

| 何ですか?
뭐예요?
モエヨ? | (より、ていねいな言い方)
何ですか?
무엇입니까?
ムオシムニッカ? |

| これは何ですか?
이건 뭐예요?
イゴン モエヨ? | それは何ですか?
그건 뭐예요?
クゴン モエヨ? |

| あれは何ですか?
저건 뭐예요?
チョゴン モエヨ? | 趣味は何ですか?
취미가 뭐예요?
チュミガ モエヨ? |

| 名前は何ですか?
이름이 뭐예요?
イルミ モエヨ? | (より、ていねいな言い方)
お名前は何ですか?
이름이 무엇입니까?
イルミ ムオシムニッカ? |

返事は164-165ページ

何を~?

| 何をしますか?
뭐 해요?
モヘヨ? | 何をしましたか?
뭐 했어요?
モヘッソヨ? |

| 何をしたいですか?
뭐 하고 싶어요?
モハゴ シポヨ? | 何をしたかったですか?
뭐 하고 싶었어요?
モハゴ シポッソヨ? |

| 何を食べますか?
뭐 먹어요?
モ モゴヨ? | 何を見ますか?
뭐 봐요?
モバヨ? |

何が〜？

何がありますか？
뭐가 있어요?
モガ イッソヨ？

何が違いますか？
뭐가 달라요?
モガ タルラヨ？

何が人気ですか？
뭐가 인기 있어요?
モガ インキ イッソヨ？

何がおいしいですか？
뭐가 맛있어요?
モガ マシッソヨ？

何がいいですか？
뭐가 좋아요?
モガ チョアヨ？

何が有名ですか？
뭐가 유명해요?
モガ ユミョンヘヨ？

何が好きですか？
뭐 좋아해요?
モ チョアヘヨ？

何が嫌いですか？
뭐 싫어해요?
モ シロヘヨ？

何と言いますか？

何と言いますか？
뭐라고 해요?
モラゴ ヘヨ？

何と言いましたか？
뭐라고 했어요?
モラゴ ヘッソヨ？

韓国語では何と言いますか？
한국어로 뭐라고 해요?
ハングゴロ モラゴ ヘヨ？

日本語では何と言いますか？
일본어로 뭐라고 해요?
イルボノロ モラゴ ヘヨ？

パンマル くだけた言い方

何？／何て？	何て言った？	何なの？	何だろう？
뭐?	뭐라고?	뭐야?	뭐지?
モ？	モラゴ？	モヤ？	モジ？

35

誰

誰ですか？

誰ですか？
누구예요?
ヌグエヨ?

（より、ていねいな言い方）
どなたですか？
누구세요?
ヌグセヨ?

この人は誰ですか？
이 사람은 누구예요?
イ サラムン ヌグエヨ?

担当は誰ですか？
담당은 누구예요?
タムダンウン ヌグエヨ?

主演は誰ですか？
주연은 누구예요?
チュヨヌン ヌグエヨ?

あの俳優は誰ですか？
저 배우는 누구예요?
チョ ペウヌン ヌグエヨ?

誰が～？

誰がいますか？
누가 있어요?
ヌガ イッソヨ?

誰が好きですか？
누구 좋아해요?
ヌグ チョアヘヨ?

誰が出演しますか？
누가 나와요?
ヌガ ナワヨ?

誰が人気ですか？
누가 인기 있어요?
ヌガ インキ イッソヨ?

誰がしますか？
누가 해요?
ヌガ ヘヨ?

誰がしましたか？
누가 했어요?
ヌガ ヘッソヨ?

誰が作りましたか？
누가 만들었어요?
ヌガ マンドゥロッソヨ?

誰が言いましたか？
누가 말했어요?
ヌガ マレッソヨ?

疑問詞とあいさつ

くだけた言い方

誰が？	誰？	誰なの？	誰だ？
누가?	누구?	누구야?	누구지?
ヌガ？	ヌグ？	ヌグヤ？	ヌグジ？

誰の〜？

誰のものですか？
누구 거예요?
ヌグ コエヨ？

誰のことですか？
누구 말이에요?
ヌグ マリエヨ？

誰のファンですか？
누구 팬이에요?
ヌグ ペニエヨ？

誰の友だちですか？
누구 친구예요?
ヌグ チングエヨ？

会話例

A: ここに誰か来るのですか？
여기에 누가 와요?
ヨギエ ヌガワヨ？

B: カン・グンソクさんが来ますよ。
강근석 씨가 와요.
カン・グンソクッシガ ワヨ.

A: ここで待っていたら会えるのですか？
여기에 있으면 만날 수 있어요?
ヨギエ イッスミョン マンナルス イッソヨ？

B: はい、たぶん来ますよ。
네, 아마 올 거예요.
ネ、アマ オルコエヨ.

どこ

疑問詞とあいさつ

どこですか？

どこですか？	(より、ていねいな言い方) どこですか？
어디예요? オディエヨ？	어디입니까? オディイムニッカ？

ここはどこですか？	駅はどこですか？
여기는 어디예요? ヨギヌン オディエヨ？	역은 어디예요? ヨグン オディエヨ？

バス停はどこですか？
버스정류장은 어디예요?
ボス ジョンニュジャンウン オディエヨ？

トイレはどこですか？
화장실은 어디예요?
ファジャンシルン オディエヨ？

集合場所はどこですか？
집합 장소는 어디예요?
チパッ チャンソヌン オディエヨ？

パンマル くだけた言い方

どこ？	どこにいるの？	どこなの？
어디? オディ？	어디 있어? オディ イッソ？	어디야? オディヤ？

どこ〜？

どこから来ましたか？
어디에서 왔어요?
オディエソ ワッソヨ？

どこのホテルですか？
어느 호텔이에요?
オヌ ホテリエヨ？

どこがいいですか？
어디가 좋아요?
オディガ チョアヨ？

どこがよかったですか？
어디가 좋았어요?
オディガ チョアッソヨ？

どこで会いましょうか？
어디에서 만날까요?
オディエソ マンナルッカヨ？

どこに〜？

どこに行きますか？
어디에 가요?
オディエ カヨ？

どこに行きましたか？
어디에 갔어요?
オディエ カッソヨ？

どこにいますか？
어디에 있어요?
オディエ イッソヨ？

どこに住んでいますか？
어디에 살아요?
オディエ サラヨ？

---

column

「どこにいるの？」はいろいろな場面で使うフレーズです。電話では「지금 어디야? チグム オディヤ？（今どこなの？）」と、お決まりフレーズとして使います。
相手の言い分に対して怒っているときには、「그런 말하는 사람이 어디 있어? クロンマラヌン サラミ オディイッソ？（そんなことを言うやつがどこにいる？）」と言います。

いつ

いつ～？

いつですか?
언제예요?
オンジェエヨ?

いつからですか?
언제부터예요?
オンジェブトエヨ?

いつまでですか?
언제까지예요?
オンジェッカジエヨ?

いつの話ですか?
언제 이야기예요?
オンジェ イヤギエヨ?

いつからいつまでですか?
언제부터 언제까지예요?
オンジェブト オンジェッカジエヨ?

いつ始まりますか?
언제 시작해요?
オンジェ シジャケヨ?

いつ終わりますか?
언제 끝나요?
オンジェ クンナヨ?

いつ行きますか?
언제 가요?
オンジェ カヨ?

いつ帰りますか?
언제 돌아가요?
オンジェ トラガヨ?

誕生日はいつですか?
생일이 언제예요?
センイリ オンジェエヨ?

月日の言い方は156-157ページ

いつ行きましょうか?
언제 갈까요?
オンジェ カルッカヨ?

いつ会いましょうか?
언제 만날까요?
オンジェ マンナルッカヨ?

疑問詞とあいさつ

パンマル くだけた言い方

いつ？	いつだ？	いつなの？
언제?	언제지?	언제야?
オンジェ？	オンジェジ？	オンジェヤ？

「いつ～？」に答える単語

昨日	今日	明日	あさって
어제	오늘	내일	모레
オジェ	オヌル	ネイル	モレ

朝	昼ごろ	夕方～夜	夜
아침	점심	저녁	밤
アチム	チョンシム	チョニョク	パム

深夜～明け方	午前	正午	午後
새벽	오전	정오	오후
セビョク	オジョン	チョンオ	オフ

column

韓国では初対面で「언제 태어났어요? オンジェ テオナッソヨ？（いつ生まれましたか？）」と尋ねることが少なくありません。

まずどちらが年上かはっきりさせ、相手が目上か目下かで言葉遣いを決めるのです。年齢が同じだと何年生まれか確認し、同じ年だとさらに誕生日を聞き、年長者をはっきりさせます。最近は少しずつ変わってきて、学年が同じなら同じ年ということでこだわらない傾向にありますが、もし韓国人に年齢や誕生日を聞かれるようなことがあっても気を悪くしないでください。

なぜ

疑問詞とあいさつ

なぜ~?

なぜですか?	なぜでしょうか?
왜요? ウェヨ?	왜지요? ウェジヨ?

なぜそうなのですか?	なぜだめですか?
왜 그래요? ウェグレヨ?	왜 안 돼요? ウェ アンデヨ?

なぜ行くのですか?	なぜ行かないのですか?
왜 가요? ウェ カヨ?	왜 안 가요? ウェ アンガヨ?

なぜ笑うのですか?	なぜ泣くのですか?
왜 웃어요? ウェ ウソヨ?	왜 울어요? ウェ ウロヨ?

なぜわからないのですか?	なぜ嘘をつくのですか?
왜 몰라요? ウェ モルラヨ?	왜 거짓말 해요? ウェ コジンマレヨ?

パンマル くだけた言い方

なんで?	なぜそうなの?	なんでだ?
왜? ウェ?	왜 그래? ウェ グレ?	왜지? ウェジ?

どうして〜？

どうして食べないのですか？
왜 안 먹어요?
ウェ アンモゴヨ?

どうして結婚しないのですか？
왜 결혼 안 해요?
ウェ キョロナネヨ?

どうして電話に出なかったのですか？
왜 전화 안 받았어요?
ウェ チョナ アンバダッソヨ?

どうして遅れたのですか？
왜 늦었어요?
ウェ ヌジョッソヨ?

どうして好きなのですか？
왜 좋아해요?
ウェ チョアヘヨ?

どうして嫌いなのですか？
왜 싫어해요?
ウェ シロヘヨ?

どうしてこんなに高いのですか？
왜 이렇게 비싸요?
ウェ イロッケ ピッサヨ?

どうしてこんなに安いのですか？
왜 이렇게 싸요?
ウェ イロッケ ッサヨ?

どうやって

疑問詞とあいさつ

どうやって～？

どうやって行きますか？	どうやって行きましたか？
어떻게 가요?	어떻게 갔어요?
オットケ カヨ？	オットケ カッソヨ？

どうやって行ったらいいですか？
어떻게 가면 돼요?
オットケ カミョン デヨ？

どうやって帰りますか？	どうやって帰りましたか？
어떻게 돌아가요?	어떻게 돌아갔어요?
オットケ トラガヨ？	オットケ トラガッソヨ？

どうやって帰ったらいいですか？
어떻게 돌아가면 돼요?
オットケ トラガミョン デヨ？

どうやってしますか？	どうやってしましたか？
어떻게 해요?	어떻게 했어요?
オットケ ヘヨ？	オットケ ヘッソヨ？

どうやって勉強しますか？	どうやって勉強しましたか？
어떻게 공부해요?	어떻게 공부했어요?
オットケ コンブヘヨ？	オットケ コンブヘッソヨ？

どうやって食べますか？	どうやって食べましたか？
어떻게 먹어요?	어떻게 먹었어요?
オットケ モゴヨ？	オットケ モゴッソヨ？

どうやって使いますか？ ┊ どうやって使いましたか？
어떻게 써요? ┊ 어떻게 썼어요?
オットケ ソヨ？ ┊ オットケ ソッソヨ？

ハングルでどうやって書きますか？
한글로 어떻게 써요?
ハングルロ オットケ ソヨ？

どうやってわかりましたか？
어떻게 알았어요?
オットケ アラッソヨ？

くだけた言い方 (パンマル)

どうやって？	どうしよう！	どうしようか？
어떻게?	어떡해!	어떡하지?
オットケ？	オットケ！	オットカジ？

どのように～？

お名前は何ですか？（お名前はどのようになりますか？）
이름이 어떻게 되세요?
イルミ オットケ デセヨ？

何歳でいらっしゃいますか？（年はどのようになりますか？）
나이가 어떻게 되세요?
ナイガ オットケ デセヨ？

電話番号は何番ですか？（電話番号はどのようになりますか？）
전화번호가 어떻게 되세요?
チョナボノガ オットケ デセヨ？

どれだけ

疑問詞とあいさつ

どれだけ～？

どれだけ（時間が）かかりますか？
얼마나 걸려요?
オルマナ コルリョヨ?

どれだけ（時間が）かかりましたか？
얼마나 걸렸어요?
オルマナ コルリョッソヨ?

どれだけ遠いですか？
얼마나 멀어요?
オルマナ モロヨ?

どれだけありますか？
얼마나 있어요?
オルマナ イッソヨ?

ここにどれだけいますか？
여기에 얼마나 있어요?
ヨギエ オルマナ イッソヨ?

どれだけ待ちますか？
얼마나 기다려요?
オルマナ キダリョヨ?

どれだけ待ちましたか？
얼마나 기다렸어요?
オルマナ キダリョッソヨ?

いくら～？

いくらですか？
얼마예요?
オルマエヨ?

いくらでしたか？
얼마였어요?
オルマヨッソヨ?

> 値段を言う数字は67ページ

これはいくらですか？
이건 얼마예요?
イゴン オルマエヨ?

これはいくらでしたか？
이건 얼마였어요?
イゴン オルマヨッソヨ?

ひとつでいくらですか？
하나에 얼마예요?
ハナエ オルマエヨ?

ふたつでいくらですか？
두 개에 얼마예요?
トゥゲエ オルマエヨ?

全部でいくらですか？
전부 얼마예요?
チョンブ オルマエヨ?

円でいくらですか？
엔으로 얼마예요?
エヌロ オルマエヨ?

どれくらい～？

身長はどれくらいですか？
키가 얼마예요?
キガ オルマエヨ?

視力はどれくらいですか？
시력이 얼마예요?
シリョギ オルマエヨ?

パンマル　くだけた言い方

いくら？	いくらなの？	いくらだ？
얼마?	얼마야?	얼마지?
オルマ?	オルマヤ?	オルマジ?

どう

疑問詞とあいさつ

どうですか？

どうですか？	どうでしたか？
어때요? オッテヨ?	어땠어요? オッテッソヨ?

これはどうですか？	ホテルはどうですか？
이건 어때요? イゴン オッテヨ?	호텔은 어때요? ホテルン オッテヨ?

最近どうですか？	体の具合はどうですか？
요즘 어때요? ヨジュム オッテヨ?	몸은 어때요? モムン オッテヨ?

ソウルはどうですか？	ソウルはどうでしたか？
서울은 어때요? ソウルン オッテヨ?	서울은 어땠어요? ソウルン オッテッソヨ?

韓国はどうですか？	韓国はどうでしたか？
한국은 어때요? ハンググン オッテヨ?	한국은 어땠어요? ハンググン オッテッソヨ?

くだけた言い方

どう？	どうだった？	どうだったっけ？
어때? オッテ?	어땠어? オッテッソ?	어땠지? オッテッチ?

最初に話題にあげる場合の言い方

味はどうですか?
맛이 어때요?
マシ オッテヨ?

味はどうでしたか?
맛이 어땠어요?
マシ オッテッソヨ?

気分はどうですか?
기분이 어때요?
キブニ オッテヨ?

気分はどうでしたか?
기분이 어땠어요?
キブニ オッテッソヨ?

すでに話題になっている場合の言い方

味はどうですか?
맛은 어때요?
マスン オッテヨ?

味はどうでしたか?
맛은 어땠어요?
マスン オッテッソヨ?

気分はどうですか?
기분은 어때요?
キブヌン オッテヨ?

気分はどうでしたか?
기분은 어땠어요?
キブヌン オッテッソヨ?

column

上のフレーズ「最初に話題にあげる場合」と「すでに話題になっている場合」の違いは、「맛이 マシ(直訳:味が)」と「맛은 マスン(直訳:味は)」の部分にあります(日本語訳はどちらも「味は(どうですか?)」)。
食べているときに、まず味から聞く場合には、直訳すると「味が(どうですか?)」という言い回しになります。また、お店のことがすでに話題にあがっていて、その内容の一部として「味はどうですか?」と聞く場合には、直訳で「味は(どうですか?)」に変わります。もし迷ったときには、上の「~がどうですか?」のほうを使いましょう。

あいさつのいろいろ①

疑問詞とあいさつ

こんにちは／はじめまして

（朝昼晩いつでも使える）
こんにちは。
안녕하세요?
アンニョンハセヨ？

（より、ていねいな言い方）
こんにちは。
안녕하십니까?
アンニョンハシムニッカ？

はじめまして。
처음 뵙겠습니다.
チョウム ベッケッスムニダ.

初対面のあいさつは 162-163ページ

会えてうれしいです。
만나서 반갑습니다.
マンナソ パンガプスムニダ.

よろしくお願いします。
잘 부탁합니다.
チャル プタカムニダ.

お元気ですか？
잘 지내세요?
チャル チネセヨ？

お元気でしたか？
잘 지내셨어요?
チャル チネショッソヨ？

お久しぶりです。
오랜만이에요.
オレンマニエヨ.

（より、ていねいな言い方）
お久しぶりです。
오래간만입니다.
オレガンマニムニダ.

ようこそいらっしゃいました。
잘 오셨어요.
チャル オショッソヨ.

お疲れさまです。
수고하세요.
スゴハセヨ.

お疲れさまでした。
수고하셨어요.
スゴハショッソヨ.

行ってきます。
다녀 오겠습니다.
タニョ オゲッスムニダ.

行ってらっしゃい。
다녀 오세요.
タニョ オセヨ.

ただいま。
다녀 왔습니다.
タニョ ワッスムニダ.

お帰りなさい。
다녀 오셨어요.
タニョ オショッソヨ.

「おはようございます」として使う言葉

よく眠れましたか？
안녕히 주무셨어요?
アンニョンヒ チュムショッソヨ?

よい朝です。
좋은 아침이에요.
チョウン アチミエヨ.

「お元気ですか？」として使う言葉

ご飯食べましたか？
밥 먹었어요?
パン モゴッソヨ?

(より、ていねいな言い方)
お食事しましたか？
식사 하셨어요?
シクサ ハショッソヨ?

column

「안녕하세요? アンニョンハセヨ?」は朝昼晩、時間を問わず使える便利なあいさつです。親しみのこもったあいさつには「밥 먹었어요? パン モゴッソヨ?（ご飯食べましたか？）」があります。ご飯を食べていることは元気な証拠ということで、このように尋ねます。食事のお誘いではないのでお間違えなく。答え方は「먹었어요. モゴッソヨ.（食べました）」「아직이에요. アジギエヨ.（まだです）」などです。

あいさつのいろいろ②

疑問詞とあいさつ

いただきます／また明日

いただきます。	ごちそうさまでした。
잘 먹겠습니다.	잘 먹었습니다.
チャル モッケッスムニダ.	チャル モゴッスムニダ.

よい一日を。	よい旅を。
좋은 하루 되세요.	즐거운 여행 되세요.
チョウン ハル デセヨ.	チュルゴウン ヨヘン デセヨ.

よい週末を。

즐거운 주말 보내세요.
チュルゴウン チュマル ポネセヨ.

また明日会いましょう。

내일 또 만나요.
ネイル ト マンナヨ.

お気をつけて行ってください。

조심해서 가세요.
チョシメソ カセヨ.

おやすみなさい。

안녕히 주무세요.
アンニョンヒ チュムセヨ.

（去る人に）さようなら。	（残る人に）さようなら。
안녕히 가세요.	안녕히 계세요.
アンニョンヒ カセヨ.	アンニョンヒ ケセヨ.

おめでとうございます

お誕生日おめでとうございます。
생일 축하합니다.
センイル チュカハムニダ.

あけましておめでとうございます。
새해 복 많이 받으세요.
セヘ ボン マニ パドゥセヨ.

パンマル

くだけた言い方

こんにちは。/さようなら。	ごちそうさま。	よい朝だね。
안녕. アンニョン.	잘 먹었어. チャル モゴッソ.	좋은 아침. チョウン アチム.

お帰り。	じゃあね。	おやすみ。
다녀 왔어. タニョワッソ.	잘 가. チャルガ.	잘 자. チャルジャ.

また明日会おう。	行ってらっしゃい。
내일 또 만나. ネイル ト マンナ.	잘 다녀 와. チャル タニョワ.

お願いね。	元気だった？
잘 부탁해. チャル プタケ.	잘 지냈어? チャルチネッソ?

誕生日おめでとう。	お疲れさま。
생일 축하해. センイル チュカヘ.	수고했어. スゴヘッソ.

お礼を言う

ありがとう

(あらゆる場面で使える言い方)
ありがとうございます。
감사합니다.
カムサハムニダ.

(親しみを込めた言い方)
ありがとうございます。
고마워요.
コマウォヨ.

(親しみを込めた言い方のよりていねいな言い方)
ありがとうございます。
고맙습니다.
コマプスムニダ.

ありがとうございました。
고마웠어요.
コマウォッソヨ.

どうもありがとうございます。
대단히 감사합니다.
テダニ カムサハムニダ.

お越しいただき、ありがとうございます。
와 주셔서 감사합니다.
ワジュショソ カムサハムニダ.

お招きいただき、ありがとうございます。
초대해 주셔서 감사합니다.
チョデヘ ジュショソ カムサハムニダ.

ご親切にありがとうございます。
친절하게 대해 주셔서 감사합니다.
チンジョラゲ テヘ ジュショソ カムサハムニダ.

大変助かりました。
도움이 많이 됐습니다.
トウミ マニ テッスムニダ.

お世話になりました。
신세를 많이 졌습니다.
シンセル マニ ジョッスムニダ.

どういたしまして

どういたしまして。
천만에요.
チョンマネヨ.

いえいえ。
뭘요.
モルリョ.

とんでもないです。
천만의 말씀입니다.
チョンマネ マルスミムニダ.

そんなことはありません。
별말씀을요.
ピョルマルスムリョ.

パンマル / くだけた言い方

ありがとう。	ありがとう。	いいんだよ。
고마워.	고마웠어.	괜찮아.
コマウォ.	コマウォッソ.	ケンチャナ.

column

「감사합니다. カムサハムニダ.」と「고맙습니다. コマッスムニダ.」はどちらも「ありがとうございます」の意味ですが、前者は少し堅めな印象があり、初対面や公の場で使います。こちらを使えば失礼になる心配はありません。「コマッスムニダ.」は情が含まれたお礼の言葉といったらいいでしょうか。顔見知りの間柄で使われます。

お願いする

疑問詞とあいさつ

お願いします

お願いします。
부탁합니다.
プタカムニダ.

よろしくお願いします。
잘 부탁합니다.
チャル プタカムニダ.

これでお願いします。
이걸로 부탁합니다.
イゴルロ プタカムニダ.

では、それでお願いします。
그럼 그걸로 부탁합니다.
クロム クゴルロ プタカムニダ.

今日一日、よろしくお願いします。
오늘 하루 잘 부탁합니다.
オヌル ハル チャル プタカムニダ.

チェックアウトお願いします。
체크아웃 부탁합니다.
チェクアウッ プタカムニダ.

パンマル くだけた言い方

お願いね。	お願い。	(一生の) お願い。
부탁해.	부탁한다.	제발.
プタッケ.	プタカンダ.	チェバル.

～してください

してください。
해 주세요.
ヘ ジュセヨ.

待ってください。
기다려 주세요.
キダリョ ジュセヨ.

書いてください。
써 주세요.
ソ ジュセヨ.

教えてください。
가르쳐 주세요.
カルチョ ジュセヨ.

見せてください。
보여 주세요.
ポヨ ジュセヨ.

会計してください。
계산해 주세요.
ケサネ ジュセヨ.

ゆっくり言ってください。
천천히 말해 주세요.
チョンチョニ マレ ジュセヨ.

取り替えてください。
갈아 주세요.
カラ ジュセヨ.
＊使ったものを新しいものにかえること。焼肉の網、シーツ、電池など

交換してください。
바꿔 주세요.
パッコ ジュセヨ.
＊サイズ、色、座席などをかえること

予約をしてください。
예약해 주세요.
イェヤケ ジュセヨ.

電話してください。
전화해 주세요.
チョナヘ ジュセヨ.

～しないでください

しないでください。
하지 마세요.
ハジ マセヨ.

行かないでください。
가지 마세요.
カジ マセヨ.

見ないでください。
보지 마세요.
ポジ マセヨ.

食べないでください。
먹지 마세요.
モッチ マセヨ.

確認する

疑問詞とあいさつ

いいですか?

いいですか? 좋아요? チョアヨ?	よろしいですか? 괜찮으세요? ケンチャヌセヨ?
大丈夫ですか? 괜찮아요? ケンチャナヨ?	ここですか? 여기예요? ヨギエヨ?
行きますか? 가요? カヨ?	ありますか? 있어요? イッソヨ?
本当ですか? 정말이에요? チョンマリエヨ?	合っていますか? 맞아요? マジャヨ?
知っていますか? 알고 있어요? アルゴ イッソヨ?	わかりましたか? 알겠어요? アルゲッソヨ?

パンマル くだけた言い方

いい? 좋아? チョア?	大丈夫? 괜찮아? ケンチャナ?	わかった? 알겠어? アルゲッソ?

58

何時ですか？

何時ですか？
몇 시예요?
ミョッシエヨ？

明日ですか？
내일이에요?
ネイリエヨ？

何月何日ですか？
몇 월 며칠이에요?
ミョドル ミョチリエヨ？

何日ですか？
며칠이에요?
ミョチリエヨ？

おいしいですか？

おいしいですか？
맛있어요?
マシッソヨ？

まずいですか？
맛없어요?
マドプソヨ？

辛いですか？
매워요?
メオヨ？

甘いですか？
달아요?
タラヨ？

おもしろいですか？

おもしろいですか？
재미있어요?
チェミイッソヨ？

気に入りましたか？
마음에 들어요?
マウメ トゥロヨ？

楽しいですか？
즐거워요?
チュルゴオヨ？

楽しかったですか？
즐거웠어요?
チュルゴオッソヨ？

怒っていますか？
화났어요?
ファナッソヨ？

悲しいですか？
슬퍼요?
スルポヨ？

59

謝る

ごめんなさい

ごめんなさい。
미안해요.
ミアネヨ.

(より、ていねいな言い方)
ごめんなさい。
미안합니다.
ミアナムニダ.

失礼します。
실례합니다.
シルレハムニダ.

失礼しました。
실례했습니다.
シルレヘッスムニダ.

すみません。
죄송해요.
チェソンヘヨ.

(より、ていねいな言い方)
申し訳ありません。
죄송합니다.
チェソンハムニダ.

大変申し訳ありませんでした。
정말 죄송합니다.
チョンマル チェソンハムニダ.

私が悪かったです。
제가 잘못했어요.
チェガ チャルモテッソヨ.

許してください。
용서해 주세요.
ヨンソヘ チュセヨ.

二度としません。
다시는 안 그러겠습니다.
タシヌン アン クロゲッスムニダ.

私がうっかりしていました。
제가 깜빡했어요.
チェガ カムパケッソヨ.

～して申し訳ありません

遅れて申し訳ありません。
늦어서 죄송합니다.
ヌジョソ　チェソンハムニダ.

お待たせして申し訳ありません。
기다리게 해서 죄송합니다.
キダリゲ　ヘソ　チェソンハムニダ.

ご迷惑をおかけしました。
폐를 끼쳐 죄송합니다.
ペルッキチョ　チェソンハムニダ.

お手数をおかけしました。
귀찮게 해서 죄송합니다.
キチャンケ　ヘソ　チェソンハムニダ.

パンマル くだけた言い方

ごめんね。	ごめん。	許して！
미안해.	미안.	용서해 줘!
ミアネ.	ミアン.	ヨンソヘ　ジョ！

悪かった。	遅れてごめんね。
잘못했어.	늦어서 미안해.
チャルモテッソ.	ヌジョソ　ミアネ.

ごめん待った？	迷惑かけてごめん。
미안 많이 기다렸지?	폐 끼쳐서 미안해.
ミアン　マニ　キダリョッチ？	ペッキチョソ　ミアネ.

返事する

疑問詞とあいさつ

はい／いいえ

はい。 네./예. ネ./イェ.	**いいえ。** 아니요. アニヨ.
はい、そうです。 네, 그래요. ネ、グレヨ.	**いいえ、違います。** 아니요, 아니에요. アニヨ、アニエヨ.
はい、あります。 네, 있어요. ネ、イッソヨ.	**いいえ、ありません。** 아니요, 없어요. アニヨ、オプソヨ.
わかりました。 알겠어요. アルゲッソヨ.	**よくわかりません。** 잘 모르겠어요. チャル モルゲッソヨ.

パンマル くだけた言い方

そうそう。	違うよ。	うん。	わからない！
그래 그래. クレグレ.	아니야. アニヤ.	응. ウン.	몰라! モルラ！

わかった。	よくわからないよ。
알았어. アラッソ.	잘 모르겠어. チャル モルゲッソ.

あいづち

そうですね。 그렇네요. クロンネヨ.	そうなんですか? 그래요? クレヨ?
いいですね。 좋네요. チョンネヨ.	そうです。(その通りです。) 맞아요. マジャヨ.
本当ですか? 정말요? チョンマルリョ?	すごいですね。 대단하네요. テダナネヨ.
それで? 그래서? クレソ?	そうだったんですね。 그랬군요. クレックンニョ.
さあ。 글쎄요. クルセヨ.	だからです。(同意する) 그러니까요. クロニカヨ.

パンマル くだけた言い方

その通り、その通り。 맞아 맞아. マジャマジャ.	そうなんだ。 그렇구나. クロクナ.	
本当に? 정말? チョンマル?	ほんと? 진짜? チンチャ?	当然よ。 당연하지. タンヨナジ.

疑問詞とあいさつ

ちょっと
ひと息 2

あいさつしてみよう

日韓のあいさつの違い

「안녕하세요? アンニョンハセヨ?」は、朝昼晩と時間に関係なく使える便利な言葉です。朝のあいさつとしては、ほかに「안녕히 주무셨어요? アンニョンヒ チュムショッソヨ?(よく眠れましたか?)」や「좋은 아침이에요. チョウン アチミエヨ.(いい朝です)」があります。「いい朝です」は英語の good morning をそのまま韓国語にした言葉です。

私たち韓国人がおもしろいと思うのは、日本語のあいさつの「おやすみなさい」です。韓国語の「안녕히 주무세요. アンニョンヒ チュムセヨ.(おやすみなさい)」は、寝る間際に言う言葉です。家の前で別れるときや深夜の電話の最後には使いますが、外出先などでの別れのあいさつとしてはあまり使いません。

言葉遣いに気をつけて

年功序列が厳しい韓国では、言葉遣いには気をつけなければいけません。韓国語には、この本で紹介している言葉以外にも、さらにていねいな言い回しもありますが、この本の「くだけた言い方(パンマル)」以外は誰に使っても失礼のない表現です。また、「より、ていねいな言い方」は年上の人やお年寄りに対して使うのが望ましい言葉です。

「반말 パンマル」は直訳すると「半分の言葉」という意味で、年上の人はもちろん、初対面の人などに使うと、とても失礼になるので注意しましょう。

第3章
これだけフレーズ 買い物編

旅行といえば、まずはショッピング！
「いくらですか？」「ください」「ありますか？」など、
買い物で使えるフレーズを集めました。
色や柄、サイズの表示、化粧品の名前などの単語も
掲載しています。
さあ、思いきりショッピングを楽しみましょう！

いくらですか？

値段を聞く

いくらですか？
얼마예요?
オルマエヨ?

(ほかの「いくらですか?」は47ページ)

これはいくらですか？
이건 얼마예요?
イゴン オルマエヨ?

それはいくらですか？
그건 얼마예요?
クゴン オルマエヨ?

あれはいくらですか？
저건 얼마예요?
チョゴン オルマエヨ?

ふたつでいくらですか？
두 개에 얼마예요?
トゥゲエ オルマエヨ?

3つでいくらですか？
세 개에 얼마예요?
セゲエ オルマエヨ?

全部でいくらですか？
전부 얼마예요?
チョンブ オルマエヨ?

これとこれでいくらですか？
이거하고 저거 다 해서 얼마예요?
イゴハゴ チョゴ タヘソ オルマエヨ?

まけてもらう

たくさん買うので安くしてください。
많이 살 테니까 싸게 해 주세요.
マニ サルテニカ サゲヘ ジュセヨ.

10個買うのでまけてください。
열 개 살 테니까 깎아 주세요.
ヨルケ サルテニカ カッカ ジュセヨ.

買い物編

数字（金額などを言うとき使う数字）

0	1	2	3	4
공	일	이	삼	사
コン	イル	イ	サム	サ

5	6	7	8	9
오	육	칠	팔	구
オ	ユク	チル	パル	ク

十	百	千	万	億
십	백	천	만	억
シプ	ペク	チョン	マン	オク

お金の単位

ウォン	円	ドル
원	엔	달러
ウォン	エン	ダルロ

column

金額については、上の数字や単位を組み合わせて言うことができます。ただし、「원（ウォン）」の発音は、その前にくる音とつながることがほとんどで、「ウォン」と言っていないように聞こえます。次のように、つながった音で覚えておくと便利です。

百ウォン	1千ウォン	1万ウォン	10万ウォン
백 원	천 원	만 원	십만 원
ペゴン	チョノン	マノン	シムマノン

これらの前に、数字を入れて言ったほうが通じます。

ください

ください

ください。
주세요.
ジュセヨ.

(ほかの「ください」は 57, 102-105, 138-139ページ)

これください。
이거 주세요.
イゴ ジュセヨ.

あれください。
저거 주세요.
チョゴ ジュセヨ.

これもください。
이것도 주세요.
イゴット ジュセヨ.

あれもください。
저것도 주세요.
チョゴット ジュセヨ.

それください。
그거 주세요.
クゴ ジュセヨ.

これとこれください。
이거하고 이거 주세요.
イゴハゴ イゴ ジュセヨ.

～してください

してください。
해 주세요.
ヘ ジュセヨ.

(より、ていねいな言い方)
してください。
해 주십시오.
ヘ ジュシプシオ.

安くしてください。
싸게 해 주세요.
サゲヘ ジュセヨ.

まけてください。
깎아 주세요.
カッカ ジュセヨ.

別々に包んでください。
따로 포장해 주세요.
タロ ポジャンヘ ジュセヨ.

プレゼント用に包んでください。
선물용으로 포장해 주세요.
ソンムルリョンウロ ポジャンヘ ジュセヨ.

色を替えてください。
색깔을 바꿔 주세요.
セッカル パッコ ジュセヨ.

サイズを替えてください。
사이즈를 바꿔 주세요.
サイズル パッコ ジュセヨ.

~ウォンにしてください

1万ウォンにしてください。
만 원으로 해 주세요.
マノヌロ ヘジュセヨ.

5万ウォンにしてください。
오만 원으로 해 주세요.
オマノヌロ ヘジュセヨ.

会話例

A: これください。
이거 주세요.
イゴ ジュセヨ.

B: 5万ウォンです。
오만 원입니다.
オマノニムニダ.

A: カード使えますか?
카드 돼요?
カドゥ デヨ?

B: はい。使えます
네, 쓸 수 있어요.
ネ、スルス イッソヨ.

ありますか?

ありますか?

ありますか?
있어요?
イッソヨ?

(より、ていねいな言い方)
ありますか?
있습니까?
イッスムニッカ?

> ほかの「ありますか?」は
> 79、98・99、226ページ

➡ 入れ替えて使おう

大きいサイズ	ありますか?
큰 사이즈	있어요?
クン サイズ	イッソヨ?

- 小さいサイズ
  작은 사이즈
  チャグン サイズ

- 新しいもの
  새 거
  セゴ

- 違う色は
  다른 색은
  タルン セグン

- 人気が
  인기가
  インキガ

- 同じもの
  같은 거
  カトゥンゴ

- サンプル
  샘플
  センプル

- 安いもの
  싼 거
  サンゴ

- 違うもの
  다른 거
  タルンゴ

- 新商品
  신상품
  シンサンプン

- どこに
  어디에
  オディエ

返事例

あります。 있어요. イッソヨ.	(より、ていねいな言い方) あります。 있습니다. イッスムニダ.
ありません。 없어요. オプソヨ.	(より、ていねいな言い方) ありません。 없습니다. オプスムニダ.

会話例

A: 大きいサイズありますか?
큰 사이즈 있어요?
クン サイズ イッソヨ?

B: はい、ここにあります。
네, 여기 있습니다.
ネ、ヨギ イッスムニダ.

A: 試着してもいいですか?
입어 봐도 돼요?
イボバド デヨ?

B: こちらへどうぞ。
이쪽으로 오세요.
イチョグロ オセヨ.

パンマル / くだけた言い方

あるよ。	あったよ。	ないよ。
있어. イッソ.	있었어. イッソッソ.	없어. オプソ.

いいですか？

買い物編

～してもいいですか？

いいですか？
좋아요?
チョアヨ?

(より、ていねいな言い方)
いいですか？
좋습니까?
チョッスムニッカ?

見てもいいですか？
봐도 돼요?
パド デヨ?

触ってもいいですか？
만져 봐도 돼요?
マンジョ バド デヨ?

取ってもいいですか？
가져가도 돼요?
カジョガド デヨ?

入ってもいいですか？
들어가도 돼요?
トゥロガド デヨ?

座ってもいいですか？
앉아도 돼요?
アンジャド デヨ?

食べてもいいですか？
먹어도 돼요?
モゴド デヨ?

ここにいてもいいですか？
여기에 있어도 돼요?
ヨギエ イッソド デヨ?

大丈夫ですか？
괜찮아요?
ケンチャナヨ?

(より、ていねいな言い方)
大丈夫ですか？
괜찮습니까?
ケンチャンスムニッカ?

写真を撮ってもいいですか？
사진 찍어도 돼요?
サジン チゴド デヨ?

*店内や商品の写真は撮ってはいけない場合が多い

72

パンマル くだけた言い方

いい?	いいの?	いいでしょ?
좋아?	좋니?	좋지?
チョア?	チョンニ?	チョッチ?

いいだろ?	いいよ!	大丈夫!
좋잖아?	좋아!	괜찮아!
チョチャナ?	チョア!	ケンチャナ!

返事例

はい、いいです。
네, 좋아요.
ネ、チョアヨ.

(より、ていねいな言い方)
はい、いいです。
네, 좋습니다.
ネ、チョッスムニダ.

だめです。
안 돼요.
アンデヨ.

(より、ていねいな言い方)
だめです。
안 됩니다.
アンデムニダ.

大丈夫です。
괜찮아요.
ケンチャナヨ.

(より、ていねいな言い方)
大丈夫です。
괜찮습니다.
ケンチャンスムニダ.

パンマル くだけた言い方

だめ!	だめだよ。	ぜったいだめ!
안 돼!	안 돼, 알았지!	절대 안 돼!
アンデ!	アンデ、アラッチ!	チョルテ アンデ!

見てもいいですか？

見てもいいですか？／～してみてもいいですか？

見てもいいですか？
봐도 돼요?
パド デヨ？

見てもいいですか？（より、ていねいな言い方）
봐도 됩니까?
パド テムニッカ？

してみてもいいですか？
해 봐도 돼요?
ヘバド デヨ？

着てみてもいいですか？
입어 봐도 돼요?
イボバド デヨ？

入ってみてもいいですか？
들어가 봐도 돼요?
トゥロガバド デヨ？

行ってみてもいいですか？
가 봐도 돼요?
カバド デヨ？

触ってみてもいいですか？
만져 봐도 돼요?
マンジョ バドデヨ？

乗ってみてもいいですか？
타 봐도 돼요?
タバド デヨ？

書いてみてもいいですか？
써 봐도 돼요?
ソバド デヨ？

食べてみてもいいですか？
먹어 봐도 돼요?
モゴバド デヨ？

パンマル　くだけた言い方

見ていい？	してみていい？	入ってみていい？
봐도 돼?	해 봐도 돼?	들어가 봐도 돼?
パドデ？	ヘバドデ？	トゥロガバドデ？

試着してもいいですか？

(スカート、ズボンを含む洋服全般に使う)
試着してもいいですか？
입어 봐도 돼요?
イボバド デヨ?

(メガネ、帽子に使う)
かけて (かぶって) みてもいいですか？
써 봐도 돼요?
ソバド デヨ?

(靴、靴下に使う)
履いてみてもいいですか？
신어 봐도 돼요?
シノバド デヨ?

(手袋、指輪に使う)
はめてみてもいいですか？
껴 봐도 돼요?
キョバド デヨ?

(化粧品〈スプレー以外〉に使う)
試してもいいですか？
발라 봐도 돼요?
パルラバド デヨ?

(箱や袋の中を見たいときに使う)
開けてみてもいいですか？
열어 봐도 돼요?
ヨロバド デヨ?

返事例

いいです。
돼요.
テヨ.

(より、ていねいな言い方)
いいです。
됩니다.
テムニダ.

だめです。
안 돼요.
アンデヨ.

(より、ていねいな言い方)
だめです。
안 됩니다.
アンデムニダ.

感想を言う

➡ 入れ替えて使おう

とても
아주
アジュ

かわいいですね。
귀엽네요.
キヨンネヨ.

すごく	本当に	ほんとに
너무	정말	진짜
ノム	チョンマル	チンチャ

きれい！ ＊上の単語のどれを頭につけてもOK。

〈ひとりで言う〉　　〈相手に言う〉

きれい！
예쁘다!
イェップダ！

きれいですね。
예쁘네요.
イェップネヨ.

いい！
좋다!
チョッタ！

いいですね。
좋네요.
チョンネヨ.

いいにおい！
냄새 좋다!
ネムセ チョッタ！

いいにおいですね！
냄새 좋네요!
ネムセ チョンネヨ！

かっこいい！
멋있다!
モシッタ！

かっこいいですね！
멋있네요!
モシンネヨ！

似合いそう。
잘 어울리겠다.
チャル オウルリゲッタ.

似合いそうですね。
잘 어울리겠네요.
チャル オウルリゲンネヨ.

感想を伝える

気に入りました。
마음에 들어요.
マウメ トゥロヨ.

気に入りません。
마음에 안 들어요.
マウメ アン ドゥロヨ.

まあまあです。
별로예요.
ピョロエヨ.

合っていません。
안 맞아요.
アン マジャヨ.

いりません。
필요없어요.
ピリョオプソヨ.

高いですね。
비싸요.
ピッサネヨ.

安いですね。
싸네요.
サネヨ.

会話例

A: わあ、きれい！
와, 예쁘다!
ワ、イェップダ！

B: 最近一番人気があります。気に入りましたか？
요즘 제일 인기 있어요. 마음에 들어요?
ヨジュム チェイル インキ イッソヨ. マウメ トゥロヨ？

A: はい、気に入りました。
네, 마음에 들어요.
ネ、マウメ トゥロヨ.

B: よくお似合いです。
잘 어울려요.
チャル オウルリョヨ.

77

色・柄・形を表す単語

買い物編

色

赤	青	黄
빨간색	파란색	노란색
パルガンセク	パランセク	ノランセク

緑	茶	グレー
초록색	갈색	회색
チョロクセク	カルセク	フェセク

黒	白	ピンク
검정색	흰색	핑크색
コムジョンセク	ヒンセク	ピンクセク

オレンジ	水色	紫
주황색	하늘색	보라색
チュアンセク	ハヌルセク	ポラセク

柄

水玉	花柄
물방울	꽃무늬
ムルパンウル	コンムニ

ストライプ	ボーダー
스트라이프	줄무늬
ストゥライプ	チュルムニ

チェック	無地
체크	무지
チェック	ムジ

形

丸	三角	四角	ハート
동그라미	삼각	사각	하트
トングラミ	サムガク	サガク	ハトゥ

色や柄を尋ねるフレーズ

黒はありますか？
검정색 있어요?
コムジョンセク イッソヨ？

> ほかの「ありますか？」は70-71、98-99、226ページ

違う色はありますか？
다른 색은 있어요?
タルン セグン イッソヨ？

違う柄はありますか？
다른 무늬 있어요?
タルン ムニ イッソヨ？

---

column

韓国で洋服の買い物をしたことがある人はお気づきだと思いますが、地下街や市場などでは試着室のないことがよくあります。でも試着をしてはいけないわけではなく、洋服のディスプレイの陰や鏡の後ろなどで試着はできます。ジャケットやコートは上に羽織るだけなので問題ありませんが、スカートやパンツ類は困りますよね。韓国人は試着をしないで買ってしまう人が多いのかもしれません。サイズを見て判断すれば問題ないという人が多いのだと思います。

韓国のサイズ表示 （洋服、靴、下着類）

女性用洋服（S～XL） *日韓共通

S	M	L	XL
에스 (S)	엠 (M)	엘 (L)	엑스엘 (XL)
エス	エム	エル	エックスエル

女性用洋服（7号～13号）

44 (7号)	55 (9号)	66 (11号)	77 (13号)
사사	오오	육육	칠칠
ササ	オオ	ユンニュク	チルチル

女性用洋服（胸囲） *スポーツウェアーなど

85	90	95	100
팔십오	구십	구십오	백
パルシボ	クシプ	クシボ	ペク

女性用下着（ショーツ）

ショーツ	90 (S)	95 (M)	100 (L)	105 (XL)
팬티	구십(에스)	구십오(엠)	백(엘)	백오(엑스엘)
ペンティ	クシプ(エス)	クシボ(エム)	ペク(エル)	ペゴ(エックスエル)

女性用下着（ブラジャー）

ブラジャー	A 75	A 80	A 85
브래지어	에이칠십오	에이팔십	에이팔십오
ブレジオ	エイチルシボ	エイパルシッ	エイパルシボ

*メーカーによってサイズ表記が違うことがあります。
　購入の際は、試着してサイズを確認しましょう。

男性用洋服（S～XL） ＊日韓共通

S	M	L	XL
에스 (S) エス	엠 (M) エム	엘 (L) エル	엑스엘 (XL) エックスエル

男性用洋服（胸囲で表示する）

95	100	105	110
구십오 クシボ	백 ペク	백오 ペゴ	백십 ペックシプ

靴のサイズ ＊韓国では㎜（ミリ）で表示する

靴	225 (22.5)	230 (23.0)
신발 シンバル	이백이십오 イベギシボ	이백삼십 イベックサムシプ

235 (23.5)	240 (24.0)	245 (24.5)
이백삼십오 イベックサムシボ	이백사십 イベックサシプ	이백사십오 イベックサシボ

250 (25.0)	255 (25.5)	260 (26.0)
이백오십 イベゴシプ	이백오십오 イベゴシボ	이백육십 イベンニュックシプ

サイズを確認するフレーズ

これは 55（9号）サイズですか？

이건 오오 사이즈예요?
イゴン オオ サイズエヨ？

66（11号）サイズはありますか？

육육 사이즈는 있어요?
ユンニュク サイズヌン イッソヨ？

洋服の名前

洋服

ブラウス	シャツ	Tシャツ
블라우스	셔츠	티셔츠
プラウス	ショツ	ティショツ

セーター	カーディガン	パーカー
스웨터	카디건	파카
スウェト	カディゴン	パカ

キャミソール	ワンピース	ドレス
캐미솔	원피스	드레스
ケミソル	ウォンピス	ドゥレス

スカート	パンツ (ズボン)	ジーパン
스커트	바지	청바지
スコトゥ	パジ	チョンバジ

ベスト	ジャケット	革ジャケット
조끼	재킷	가죽재킷
チョッキ	ジェキッ	カジュックチェキッ

コート	ダウン	毛皮
코트	오리털	모피
コトゥ	オリトル	モピ

ワイシャツ	スーツ	ジャンパー
와이셔츠	양복	잠바
ワイショツ	ヤンボク	ジャムパ

買い物編

袖の長さ

長袖	半袖	ノースリーブ
긴소매	반소매	노 슬리브
キンソメ	パンソメ	ノスリブ

服飾雑貨

かばん	靴 (履物全般)	ブーツ
가방	신발	부츠
カバン	シンバル	ブツ

レギンス	タイツ	靴下
레깅스	타이츠	양말
レギンス	タイツ	ヤンマル

マフラー	手袋	耳あて
목도리	장갑	귀마개
モクトリ	チャンガプ	キマゲ

帽子	スカーフ	ネクタイ
모자	스카프	넥타이
モジャ	スカプ	ネクタイ

装身具

メガネ	サングラス	指輪
안경	선글라스	반지
アンギョン	ソングラス	パンジ

イヤリング・ピアス("耳飾り"の意)	ネックレス	カチューシャ
귀걸이	목걸이	머리띠
キコリ	モッコリ	モリッティ

化粧品

化粧品の名称

化粧水	乳液	クリーム
스킨 スキン	로션 ロション	크림 クリム

パック	シートパック	美容液
팩 ペック	마스크 팩 マスクペック	에센스 エッセンス

クレンジング	洗顔フォーム	BBクリーム
클렌징 クルレンジン	폼 클렌징 ポムクルレンジン	BB크림 ビビクリム

ファンデーション	パウダー	コンシーラ
화운데이션 ファウンデイション	파우더 パウド	컨실러 コンシルロ

チーク	口紅	グロス
치크 チク	립스틱 リッスティック	글로스 グルロス

アイライン	アイシャドウ	マスカラ
아이라이너 アイライノ	아이섀도우 アイシェドウ	마스카라 マスカラ

マニキュア	除光液	日焼け止め
매니큐어 メニキュオ	리무버 リムボ	선크림 ソンクリム

肌の悩み・化粧品の効果

しみ	しわ	たるみ
기미	주름	처짐
キミ	チュルム	チョジム

ほうれい線	美白	にきび
팔자주름	미백	여드름
パルジャジュルム	ミベック	ヨドゥルム

きめ	毛穴	張り
(피부)결	모공	탄력
(ピブ) キョル	モゴン	タルリョック

普通肌	乾燥肌	混合肌
지성 피부	건성 피부	복합성 피부
チソンピブ	コンソンピブ	ポカッソンピブ

肌の悩みを相談するフレーズ

乾燥肌にはどれがいいですか？
건성 피부에는 뭐가 좋아요?
コンソンピブエヌン モガ チョアヨ？

敏感肌にいいものはありますか？
민감성 피부에 좋은 거 있어요?
ミンガムソン ピブエ チョウンゴ イッソヨ？

しわに悩んでいるんですけど。
주름 때문에 걱정이에요.
チュルムッテムネ コッチョンイエヨ.

たるみにいいものは何ですか？
처진 피부에 좋은 건 뭐예요?
チョジンピブエ チョウンゴン モエヨ？

できますか？

できますか？

できますか？
할 수 있어요?
ハルス イッソヨ?

できますか？ (より、ていねいな言い方)
할 수 있습니까?
ハルス イッスムニッカ?

このようにできますか？
이렇게 할 수 있어요?
イロッケ ハルスイッソヨ?

同じようにできますか？
똑같이 할 수 있어요?
トッカチ ハルスイッソヨ?

日本語はできますか？
일본어 할 수 있어요?
イルボノ ハルスイッソヨ?

英語はできますか？
영어 할 수 있어요?
ヨンオ ハルスイッソヨ?

予約はできますか？
예약할 수 있어요?
イェヤカルスイッソヨ?

変更はできますか？
변경할 수 있어요?
ピョンギョン ハルスイッソヨ?

インターネットはできますか？
인터넷 할 수 있어요?
イントネッ ハルスイッソヨ?

(ほかの「できますか？」は 124-125、152-153ページ)

パンマル くだけた言い方

できるよ！	できるでしょ？	できるよね。
할 수 있어!	할 수 있지?	할 수 있을거야.
ハルスイッソ!	ハルスイッチ?	ハルスイッスルコヤ.

86

～することができますか？

行けますか？
갈 수 있어요?
カルス イッソヨ？

(より、ていねいな言い方)
行けますか？
갈 수 있습니까?
カルス イッスムニッカ？

歩いて行けますか？
걸어서 갈 수 있어요?
コロソ カルスイッソヨ？

地下鉄で行けますか？
지하철로 갈 수 있어요?
チハチョルロ カルスイッソヨ？

見られますか？
볼 수 있어요?
ポルス イッソヨ？

(より、ていねいな言い方)
見られますか？
볼 수 있습니까?
ポルス イッスムニッカ？

これ、見られますか？
이거 볼 수 있어요?
イゴ ポルスイッソヨ？

夜景は見られますか？
야경은 볼 수 있어요?
ヤギョウン ポルスイッソヨ？

書けますか？
쓸 수 있어요?
スルスイッソヨ？

(より、ていねいな言い方)
書けますか？
쓸 수 있습니까?
スルス イッスムニッカ？

日本語で書けますか？
일본어로 쓸 수 있어요?
イルボノロ スルスイッソヨ？

ハングルで書けますか？
한글로 쓸 수 있어요?
ハングルロ スルスイッソヨ？

作れますか？
만들 수 있어요?
マンドゥルス イッソヨ？

乗れますか？
탈 수 있어요?
タルス イッソヨ？

食べられますか？
먹을 수 있어요?
モグルス イッソヨ？

聞けますか？
들을 수 있어요?
トゥルス イッソヨ？

お店の人にお願いする

値段についてお願いするフレーズ

安くしてください。
싸게 해 주세요.
サゲヘ ジュセヨ.

まけてください。
깎아 주세요.
カッカ ジュセヨ.

10万ウォンにしてください。
십만 원으로 해 주세요.
シンマノヌロ ヘジュセヨ.

品物についてお願いするフレーズ

見せてください。
보여 주세요.
ポヨジュセヨ.

触らせてください。
만지게 해 주세요.
マンジゲ ヘ ジュセヨ.

裾上げしてください。
길이를 수선해 주세요.
キリル スソネ ジュセヨ.

これでお願いします。
이걸로 부탁합니다.
イゴロ プタカムニダ.

取り寄せてもらえませんか？
주문해 줄 수 있어요?
チュムネ ジュルス イッソヨ？

交換できますか？
교환 돼요?
キョファン デヨ？

返品できますか？
반품돼요?
パンプンデヨ？

会計のときお願いするフレーズ

カードで払えますか？
카드 돼요?
カドゥ デヨ?

包んでください。
포장해 주세요.
ポジャンヘ ジュセヨ.

送ってください。
보내 주세요.
ボネ ジュセヨ.

別々に包んでください。
따로 포장해 주세요.
タロ ポジャンヘ ジュセヨ.

商品が来たら連絡ください。
상품 오면 연락 주세요.
サンプム オミョン ヨルラッ チュセヨ.

現金で払うので安くしてください。
현금으로 살 테니까 싸게 해 주세요.
ヒョングムロ サルテニッカ サゲヘジュセヨ.

会話例

A: 3つ買うので安くしてください。
세 개 살 테니까 싸게 해 주세요.
セゲ サル テニカ サゲヘ ジュセヨ.

B: じゃあ3つで1万ウォンにします。
그럼 세 개에 만 원으로 해 줄게요.
クロム セゲエ マノヌロ ヘ ジュルケヨ.

A: すみませんが別々に包んでください。
죄송한데요, 따로 포장해 주세요.
チェソンハンデヨ、タロ ポジャンヘ ジュセヨ.

数を言う①

1〜21

買い物編

ひとつ 하나 ハナ	ふたつ 둘 トゥル	3つ 셋 セッ
4つ 넷 ネッ	5つ 다섯 タソッ	6つ 여섯 ヨソッ
7つ 일곱 イルゴプ	8つ 여덟 ヨドル	9つ 아홉 アホプ
10（とお） 열 ヨル	11 열하나 ヨラナ	12 열둘 ヨトゥル
13 열셋 ヨルセッ	14 열넷 ヨルレッ	15 열다섯 ヨルタソッ
16 열여섯 ヨルリョソッ	17 열일곱 ヨリルゴプ	18 열여덟 ヨルリョドル
19 열아홉 ヨラホプ	20 스물 スムル	21 스물하나 スムラナ

22～45

22 스물둘 スムルトゥル	23 스물셋 スムルセッ	24 스물넷 スムルレッ
25 스물다섯 スムルタソッ	26 스물여섯 スムルリョソッ	27 스물일곱 スムリルゴプ
28 스물여덟 スムルリョドル	29 스물아홉 スムラホプ	30 서른 ソルン
31 서른하나 ソルナナ	32 서른둘 ソルントゥル	33 서른셋 ソルンセッ
34 서른넷 ソルンネッ	35 서른다섯 ソルンタソッ	36 서른여섯 ソルンニョソッ
37 서른일곱 ソルニルゴプ	38 서른여덟 ソルンニョドル	39 서른아홉 ソルナホプ
40 마흔 マフン	41 마흔하나 マフナナ	42 마흔둘 マフントゥル
43 마흔셋 マフンセッ	44 마흔넷 マフンネッ	45 마흔다섯 マフンタソッ

数を言う②

46～66

買い物編

46 마흔여섯 マフンニョソッ	47 마흔일곱 マフニルゴプ	48 마흔여덟 マフンニョドル
49 마흔아홉 マフナホプ	50 쉰 シン	51 쉰하나 シナナ
52 쉰둘 シントゥル	53 쉰셋 シンセッ	54 쉰넷 シンネッ
55 쉰다섯 シンタソッ	56 쉰여섯 シンニョソッ	57 쉰일곱 シニルゴプ
58 쉰여덟 シンニョドル	59 쉰아홉 シナホプ	60 예순 イェスン
61 예순하나 イェスナナ	62 예순둘 イェスントゥル	63 예순셋 イェスンセッ
64 예순넷 イェスンネッ	65 예순다섯 イェスンタソッ	66 예순여섯 イェスンニョソッ

67～90

67	68	69
예순일곱	예순여덟	예순아홉
イェスニルゴプ	イェスニョドル	イェスナホプ

70	71	72
일흔	일흔하나	일흔둘
イルン	イルナナ	イルンドゥル

73	74	75
일흔셋	일흔넷	일흔다섯
イルンセッ	イルンネッ	イルンタソッ

76	77	78
일흔여섯	일흔일곱	일흔여덟
イルニョソッ	イルニルゴプ	イルニョドル

79	80	90
일흔아홉	여든	아흔
イルナホプ	ヨドゥン	アフン

数字に添える単語

歳	個	名	人
살	개	명	사람
サル	ケ	ミョン	サラム

杯	枚	冊	時
잔	장	권	시
チャン	チャン	コン	シ

匹	着	足 (靴・靴下)	輪 (花)
마리	벌	켤레	송이
マリ	ポル	キョルレ	ソンイ

断る

断るフレーズ

結構です。
됐어요.
テッソヨ.

結構です。 （より、ていねいな言い方）
됐습니다.
テッスムニダ.

必要ありません。
필요없어요.
ピリョオプソヨ.

必要ありません。 （より、ていねいな言い方）
필요없습니다.
ピリョオプスムニダ.

これ以上は結構です。
이 이상은 필요없습니다.
イ イサンウン ピリョオプスムニダ.

見ているだけです。
그냥 좀 볼게요.
クニャン チョム ボルケヨ.

サイズが合いません。
사이즈가 안 맞아요.
サイズガ アン マジャヨ.

興味がありません。
흥미가 없어요.
フンミガ オプソヨ.

気に入りません。
마음에 안 들어요.
マウメ アン ドゥロヨ.

また来ます。
또 올게요.
ト オルケヨ.

明日来ます。
내일 올게요.
ネイル オルケヨ.

考えてまた来ます。
생각해 보고 다시 올게요.
センガケ ポゴ タシオルケヨ.

断る理由を言う場合

すみません。高すぎます。
죄송해요. 너무 비싸요.
チェソンヘヨ. ノム ピッサヨ.

すみません。荷物が多くて今度買います。
죄송해요. 짐이 너무 많아서 다음에 살게요.
チェソンヘヨ. チミ ノム マナソ タウメ サルケヨ.

私に似合いません。
저한테 안 어울려요.
チョハンテ アノウルリョヨ.

すみません。今お金を持ち合わせていません。
죄송해요. 지금 가진 돈이 없어요.
チェソンヘヨ. チグム カジンドニ オプソヨ.

会話例

A: いらっしゃいませ。何かお探しですか？
어서 오세요. 뭐 찾으세요?
オソオセヨ. モ チャジュセヨ?

B: ワンピースありますか？
원피스 있어요?
ウォンピス イッソヨ?

A: これが今一番売れています。
이게 지금 제일 잘 팔려요.
イゲ チグム ジェイル チャル パルリョヨ.

B: うん…すみません。気に入りません。
음.. 죄송해요. 마음에 안 들어요.
ウン…チェソンヘヨ. マウメ アンドゥロヨ.

95

ちょっとひと息 3

コスメの表示を読んでみよう

買い物編

商品よりもサンプルが楽しみ!?

韓国旅行の目的のひとつが「コスメを買うこと」という人は多いと思います。韓国では商品を購入すると、おまけでたくさんのサンプルをもらえるので、それも楽しみのひとつです。でも、「せっかくもらったけど、説明がハングルだからどう使っていいかわからなかった…」ということもあるようです。

コスメの表示を読んでみよう！

メーカーによって多少言い方が違いますが、だいたい次のような表示がされています。一番上のハングル文字は、メーカー名のことが多いので、2段目か3段目を確認してみてください。

클렌징　クルレンジン
　…「メイク落とし
　　（クレンジング）」
클렌징 에멀젼
클렌징 에멀젼　クルレンジン エモルジョン
　…「メイク落とし
　　（ふき取り）」
클렌징 티슈
クルレンジン ティシュ
　…「メイク落とし
　　ティッシュ」
폼 클렌징
ポム クルレンジン
　…「洗顔フォーム」
화장수　ファジャンス、
스킨　スキン、
토너　トノ
　…「化粧水」

유액　ユエク、
로션　ロション
　…「乳液」
에센스　エッセンス
　…「美容液」
크림　クリム…「クリーム」
아이 크림　アイ クリム
　…「アイクリーム」
핸드 크림　ヘンドゥ クリム
　…「ハンドクリーム」
화운데이션
ファウンデイション
　…「ファンデーション」
건성용　コンソンヨン
　…「乾燥用」
지성용　チソンヨン
　…「脂性用」
복합성용　ポカッソンヨン
　…「混合肌用」

第4章
これだけフレーズ
飲食店編

「日本語メニューありますか?」「おかわりください」
「辛いですか?」など、飲食店で使えるフレーズを集めました。
料理や食材の名前、出前をお願いするフレーズなども
掲載しています。
韓国にはおいしい食べ物がたくさんあります。
お腹いっぱい、おいしいものを食べましょう!

ありますか?

ありますか?

ありますか?	(より、ていねいな言い方) ありますか?
있어요? イッソヨ?	있습니까? イッスムニッカ?

> ほかの「ありますか?」は 70-71、79、226ページ

飲食店編

➡ 入れ替えて使おう

日本語メニュー 일본어 메뉴 イルボノ メニュ	ありますか? 있어요? イッソヨ?

席 자리 チャリ	メニュー 메뉴 メニュ

コップ 컵 コプ	お皿 접시 チョプシ

お箸 젓가락 チョッカラク	スプーン 숟가락 スッカラク

つまようじ 이쑤시개 イッスシゲ	お手ふき 물수건 ムルスゴン

ビール 맥주 メクチュ	焼酎 소주 ソジュ

～はありますか？

２人ですが、席はありますか？
두 사람인데요, 자리 있어요?
トゥサラミンデヨ、チャリ イッソヨ？

取り分けるお皿はありますか？
덜어 먹을 접시 있어요?
トロ モグル チョッシ イッソヨ？

返事例

あります。
있어요.
イッソヨ.

ありません。
없어요.
オプソヨ.

あります。少しお待ちください。
있어요. 잠시만 기다려 주세요.
イッソヨ. チャンシマン キダリョジュセヨ.

会話例

A: 席ありますか？
자리 있어요?
チャリ イッソヨ？

B: はい、中へどうぞ。
네, 들어오세요.
ネ、トゥロオセヨ.

A: はい、わかりました。
네, 알았어요.
ネ、アラッソヨ.

99

2人です

～人（名）です

何人ですか？	（より、ていねいな言い方） 何人ですか？
몇 명이에요? ミョンミョンイエヨ？	몇 분이세요? ミョップニセヨ？

2人です。	2名です。
두 사람이요. トゥサラミヨ.	두 명이요. トゥミョンイヨ.

1人です。	3人です。
혼자예요. ホンジャエヨ.	세 사람이요. セ サラミヨ.

4人です。	5人です。
네 사람이요. ネ サラミヨ.	다섯 사람이요. タソッ サラミヨ.

あとからもう1人来ます。
이따가 한 사람 더 올 거예요.
イッタガ ハンサラム ト オルコエヨ.

食堂でのお決まりフレーズ

（客が注文したとき）
おいしくしてください。
맛있게 해 주세요.
マシッケヘ ジュセヨ.

（店の人が注文されたものを出すとき）
おいしく召し上がってください。
맛있게 드세요.
マシッケ ドゥセヨ.

飲食店編

お店の人がよく言うフレーズ

こちらにお座りください。
여기 앉으세요.
ヨギ アンジュセヨ.

どこでも (ご自由に) お座りください。
아무데나 앉으세요.
アムデナ アンジュセヨ.

ご注文はどうなさいますか？
주문하시겠어요?
チュムナシゲッソヨ？

少しお待ちください。
잠시만 기다려 주세요.
チャンシマン キダリョ ジュセヨ.

お皿をさげてもよろしいですか？
접시 치워 드릴까요?
チョプシ チオ ドゥリルッカヨ？

お店の人に言うフレーズ

ここに座ってもいいですか？
여기 앉아도 돼요?
ヨギ アンジャド デヨ？

メニューください。
메뉴 주세요.
メニュ ジュセヨ.

注文お願いします。
주문받으세요.
チュムン パドゥセヨ.

(近くにいる人を呼ぶとき)
すみません。
여기요.
ヨギヨ.

(遠くにいる人を呼ぶとき)
すみません。
저기요.
チョギヨ.

101

ください

〜ください

ください。
주세요.
ジュセヨ.

これください。
이거 주세요.
イゴ ジュセヨ.

ひとつください。
하나 주세요.
ハナ ジュセヨ.

ふたつください。
두 개 주세요.
トゥゲ ジュセヨ.

お水ください。
물 주세요.
ムル ジュセヨ.

キムチもっとください。
김치 더 주세요.
キムチ トジュセヨ.

同じものください。
같은 거 주세요.
カットゥンゴ ジュセヨ.

ビールください。
맥주 주세요.
メクチュ ジュセヨ.

おかわりください。
더 주세요.
トジュセヨ.

これ2人前ください。
이거 이 인분 주세요.
イゴ イインブン ジュセヨ.

これとこれください。
이거하고 이거 주세요.
イゴハゴ イゴ ジュセヨ.

これとビール2杯ください。
이거하고 맥주 두 잔 주세요.
イゴハゴ メクチュ トゥジャン ジュセヨ.

飲食店編

メニュー／お手ふき

メニュー
메뉴
メニュ

日本語メニュー
일본어 메뉴
イルボノ メニュ

お手ふき
물수건
ムルスゴン

紙ナプキン
냅킨
ネプキン

クーポン券
쿠폰
クポン

割引券
할인권
ハリンコン

会話例

A: (注文したものを持ってきて) おいしく召し上がってください。
맛있게 드세요.
マシッケ ドゥセヨ.

B: キムチもっとください。
김치 더 주세요.
キムチ ト ジュセヨ.

A: はい、少しお待ちください。
네, 잠시만 기다리세요.
ネ、チャンシマン キダリセヨ.

パンマル くだけた言い方

くださ〜い。	これくださ〜い。	お箸取って。
줘요.	이거 줘요.	젓가락 줘.
ジョヨ.	イゴ ジョヨ.	チョッカラッ チョ.

してください

～してください

してください。
해 주세요.
ヘ ジュセヨ.

(より、ていねいな言い方)
してください。
해 주십시오.
ヘ ジュシプシオ.

早くしてください。
빨리 해 주세요.
パリ ヘジュセヨ.

時間がないので早くください。
시간 없으니까 빨리 주세요.
シガン オプスニッカ パリ ジュセヨ.

食堂でよく使うフレーズ

辛くしてください。
맵게 해 주세요.
メッケヘ ジュセヨ.

辛くしないでください。
안 맵게 해 주세요.
アン メッケヘ ジュセヨ.

お皿を替えてください。
접시 좀 바꿔 주세요.
チョプシ チョム パッコ ジュセヨ.

食べ方を教えてください。
어떻게 먹는지 가르쳐 주세요.
オトッケ モンヌンジ カルチョ ジュセヨ.

温めなおしてください。
데워 주세요.
テオ ジュセヨ.

*韓国ではチゲやサムゲタンなど、食べている途中でも温めなおしてくれる

飲食店編

104

大盛りにしてください。
곱빼기로 해 주세요.
コッペギロ　ヘジュセヨ.

ご飯を少なめにしてください。
밥 조금만 주세요.
パッ　チョグンマン　ジュセヨ.

テーブルをふいてください。
테이블 좀 닦아 주세요.
テイブル　チョム　タッカ　ジュセヨ.

(食べ終わった食器を)片付けてください。
치워 주세요.
チオ　ジュセヨ.

お店を出るときに使うフレーズ

会計してください。
계산해 주세요.
ケサネ　ジュセヨ.

領収書ください。
영수증 주세요.
ヨンスジュン　ジュセヨ.

クーポン券使えますか？
쿠폰 쓸 수 있어요?
クポン　スルス　イッソヨ？

持ち帰りにしてください。
포장해 주세요.
ポジャンヘ　ジュセヨ.

＊韓国では残った料理を持ち帰りできる

(お店の)電話番号を教えてください。
전화번호 가르쳐 주세요.
チョナボノ　カルチョ　ジュセヨ.

105

おいしいです

おいしいです

おいしいです。
맛있어요.
マシッソヨ.

(より、ていねいな言い方)
おいしいです。
맛있습니다.
マシッスムニダ.

とてもおいしいです。
아주 맛있어요.
アジュ マシッソヨ.

ほんとにおいしいです。
진짜 맛있어요.
チンチャ マシッソヨ.

甘くておいしいです。
달고 맛있어요.
タルゴ マシッソヨ.

辛いけどおいしいです。
맵지만 맛있어요.
メッチマン マシッソヨ.

おいしかったです。
맛있었어요.
マシッソッソヨ.

おいしそうですね。
맛있겠네요.
マシッケンネヨ.

("すごくおいしい" ことのたとえ)
2人で食べていて1人が死んでもわからない。
둘이 먹다 하나가 죽어도 모르겠다.
トゥリモッタ ハナガ チュゴド モルゲッタ.

おいしくないです

おいしくないです。
맛없어요.
マドプソヨ.

(より、ていねいな言い方)
おいしくないです。
맛없습니다.
マドプスムニダ.

おいしくなかったです。
맛없었어요.
マドプソッソヨ.

まずそうですね。
맛없겠네요.
マドプケンネヨ.

味が薄いです。
싱거워요.
シンゴオヨ.

辛すぎます。
너무 매워요.
ノム メオヨ.

味の感想を言う

辛いです。
매워요.
メオヨ.

甘いです。
달아요.
タラヨ.

しょっぱいです。
짜요.
チャヨ.

苦いです。
써요.
ソヨ.

油っこいです。
느끼해요.
ヌッキヘヨ.

香ばしいです。
구수해요.
クスヘヨ.

酢っぱいです。
셔요.
ショヨ.

さっぱりしています。
깔끔해요./시원해요.
カルクメヨ./シオネヨ.

やわらかいです。
부드러워요.
プドゥロウォヨ.

かたいです。
딱딱해요.
タッタケヨ.

パンマル / くだけた言い方

おいしい!	おいしいね。	おいしそう。
맛있다!	맛있네.	맛있겠다.
マシッタ!	マシンネ.	マシッケッタ.

辛いですか？

味を聞く

辛いですか？ 매워요? メオヨ？	甘いですか？ 달아요? タラヨ？
しょっぱいですか？ 짜요? チャヨ？	苦いですか？ 써요? ソヨ？
油っこいですか？ 느끼해요? ヌッキヘヨ？	香ばしいですか？ 구수해요? クスヘヨ？
酢っぱいですか？ 셔요? ショヨ？	さっぱりしてますか？ 시원해요? シオネヨ？

飲食店編

パンマル くだけた言い方

辛い？ 매워? メオ？	甘い？ 달아? タラ？	しょっぱい？ 짜? チャ？
苦い？ 써? ソ？	油っこい？ 느끼해? ヌッキヘ？	酢っぱい？ 셔? ショ？

同意する言い方

おいしいですね。
맛있네요.
マシンネヨ.

辛いですね。
맵네요.
メンネヨ.

辛くありませんね。
안 맵네요.
アンメンネヨ.

甘いですね。
다네요.
タネヨ.

しょっぱいですね。
짜네요.
チャネヨ.

苦いですね。
쓰네요.
スネヨ.

油っこいですね。
느끼하네요.
ヌッキハネヨ.

香ばしいですね。
구수하네요.
クスハネヨ.

酢っぱいですね。
시네요.
シネヨ.

さっぱりしてますね。
시원하네요.
シオナネヨ.

くだけた言い方

辛いね。	甘いね。	しょっぱいね。
맵네.	다네.	짜네.
メンネ.	タネ.	チャネ.

苦いね。	油っこいね。	酢っぱいね。
쓰네.	느끼하네.	시네.
スネ.	ヌッキハネ.	シネ.

いいですか?

～いいですか？

いいですか？	（より、ていねいな言い方） いいですか？
돼요? デヨ？	됩니까? デムニッカ？

飲食店編

ここに座ってもいいですか？
여기에 앉아도 돼요?
ヨギエ アンジャド デヨ？

窓際に座ってもいいですか？
창가에 앉아도 돼요?
チャンガエ アンジャド デヨ？

席を移ってもいいですか？
자리 옮겨도 돼요?
チャリ オンギョド デヨ？

注文してもいいですか？
주문해도 돼요?
チュムネド デヨ？

お店の中の写真を撮ってもいいですか？
가게 안의 사진 찍어도 돼요?
カゲアネ サジン チゴド デヨ？

もう食べてもいいですか？
이제 먹어도 돼요?
イジェ モゴド デヨ？

くだけた言い方

いい？	いいでしょ？	いい？
돼?	되지?	괜찮아?
デ？	テジ？	ケンチャナ？

「～いいですか？」の別の言い方

いいですか？
괜찮아요?
ケンチャナヨ？

(より、ていねいな言い方)
いいですか？
괜찮습니까?
ケンチャンスムニッカ？

ここに座ってもいいですか？
여기에 앉아도 괜찮아요?
ヨギエ　アンジャド　ケンチャナヨ？

窓際に座ってもいいですか？
창가에 앉아도 괜찮아요?
チャンガエ　アンジャド　ケンチャナヨ？

席を移ってもいいですか？
자리 옮겨도 괜찮아요?
チャリ　オンギョド　ケンチャナヨ？

お店の中の写真を撮ってもいいですか？
가게 안의 사진 찍어도 괜찮아요?
カゲアネ　サジン　チゴド　ケンチャナヨ？

もう食べてもいいですか？
이제 먹어도 괜찮아요?
イジェ　モゴド　ケンチャナヨ？

＊どちらも使えるが、「돼요？ デヨ？」には「よいですか？」、「괜찮아요？ ケンチャナヨ？」には「かまいませんか？」といったニュアンスがある。

食べ物の名前

人気の韓国料理

飲食店編

ビビンバ	石焼ビビンバ	冷麺
비빔밥	돌솥비빔밥	냉면
ビビンバプ	トルソッピビンバプ	ネンミョン

韓定食	ユッケ	ユッケジャン
한정식	육회	육개장
ハンジョンシク	ユッケ	ユッケジャン

春雨炒め	クッパ	チヂミ
잡채	국밥	전
チャプチェ	クッパプ	ジョン

カンジャンケジャン (ワタリガニの醤油漬け)	刺身	海苔巻き
간장게장	생선회	김밥
カンジャンゲジャン	センソンフェ	キンパプ

トッポギ	餃子	ホットク
떡볶이	만두	호떡
トッポッキ	マンドゥ	ホットク

キムチ	ナムル	おかず
김치	나물	반찬
キムチ	ナムル	パンチャン

大根キムチ	きゅうりキムチ	おかゆ
무김치	오이김치	죽
ムキムチ	オイキムチ	チュク

鍋料理／汁物

キムチチゲ	味噌チゲ	スンドゥブチゲ
김치찌개	된장찌개	순두부찌개
キムチチゲ	テンジャンチゲ	スンドゥブチゲ

プデチゲ (部隊鍋)	サムゲタン	どじょう鍋
부대찌개	삼계탕	추어탕
プデチゲ	サムゲタン	チュオタン

海鮮鍋	じゃがいも鍋	海の幸鍋
해물탕	감자탕	매운탕
ヘムルタン	カムジャタン	メウンタン

カルビタン (牛カルビを煮込んだスープ)	牛テールスープ	わかめスープ
갈비탕	곰국	미역국
カルビタン	コンクク	ミヨックク

ソルロンタン (牛の骨・肉を煮込んだスープ)	カルグクス (韓国式の温麺)	うどん
설렁탕	칼국수	우동
ソンロンタン	カルクッス	ウドン

肉料理

プルコギ	カルビ	生カルビ
불고기	갈비	생갈비
プルコギ	カルビ	センカルビ

豚カルビ	鶏カルビ	サムギョプサル
돼지갈비	닭갈비	삼겹살
テジカルビ	タッカルビ	サムギョプサル

タッカンマリ (丸鶏の煮込み)	五枚肉	カルメギサル (横隔膜と肝臓の間の肉)
닭한마리	오겹살	갈매기살
タッカンマリ	オギョプサル	カルメギサル

食材の名前

野菜

白菜	大根	きゅうり
배추	무	오이
ペチュ	ム	オイ

サンチュ	ごまの葉	玉ねぎ
상추	깻잎	양파
サンチュ	ケンニプ	ヤンパ

長ねぎ	にんにく	豆もやし
파	마늘	콩나물
パ	マヌル	コンナムル

人参	高麗人参	とうがらし
당근	인삼	고추
タングン	インサム	コチュ

ズッキーニ	パプリカ	トマト
애호박	파프리카	토마토
エホパク	パプリカ	トマト

じゃがいも	さつまいも	かぼちゃ
감자	고구마	단호박
カムジャ	コグマ	タノバク

ほうれん草	にら	とうもろこし
시금치	부추	옥수수
シグンチ	プチュ	オクスス

魚介類

えび	いか	たこ
새우	오징어	낙지
セウ	オジンオ	ナクチ

たら	かに	かき
대구	게	굴
テグ	ケ	クル

ほたて	あわび	どじょう
가리비	전복	미꾸라지
カリビ	ジョンボク	ミックラジ

調味料など

醤油	塩	砂糖
간장	소금	설탕
カンジャン	ソグム	ソルタン

こしょう	味噌	コチュジャン
후추	된장	고추장
フチュ	テンジャン	コチュジャン

エゴマ油	牛乳	たまご
참기름	우유	달걀
チャムギルム	ウユ	タルギャル

小麦粉	豆腐	くるみ
밀가루	두부	호두
ミルカル	トゥブ	ホドゥ

春雨	どんぐり	海苔
당면	도토리	김
タンミョン	トトリ	キム

115

食器・調理器具の名前

飲食店編

食器類

お皿	접시	チョプシ
小皿	작은 접시	チャグン チョプシ
大皿	큰 접시	クン チョプシ
ご飯用茶碗	밥공기	パプコンギ
どんぶり (ビビンバ・冷麺用)	사발	サバル
湯飲み (伝統茶用)	찻잔	チャッチャン
お碗	공기	コンギ
お箸	젓가락	チョッカラク
箸置き	젓가락 받침	チョッカラッパッチム
スプーン	숟가락	スカラク
フォーク	포크	ポク
ナイフ	칼	カル
コップ	컵	コプ
マグカップ	머그컵	モグコプ
ティーカップ	찻잔	チャッジャン

調理器具類

包丁	식칼	シッカル
まな板	도마	トマ
キッチンバサミ	식가위	シッカウィ
鍋	냄비	ネンビ
チゲ用の鍋	뚝배기	トゥッペギ
やかん	주전자	チュジョンジャ

しゃもじ	おたま	フライ返し
주걱	국자	뒤집개
チュゴク	クッチャ	ティジッケ

➡ 入れ替えて使おう　*112～117ページの単語の中から、欲しいものを入れるだけ

ビビンバ	ありますか？
비빔밥	있어요?
ビビンバプ	イッソヨ？

聞きたいものを入れ替える

小皿	(より、ていねいな言い方) ありますか？
작은 접시	있습니까?
チャグン チョッシ	イッスムニッカ？

タッカンマリ	ください。
닭한마리	주세요.
タッカンマリ	ジュセヨ.

海苔巻き	いくらですか？
김밥	얼마예요?
キンパプ	オルマエヨ？

水	ジュース	コーヒー
물	주스	커피
ムル	ジュス	コピ

コーラ	ビール	生ビール
콜라	맥주	생맥주
コルラ	メクチュ	センメクチュ

酒	マッコリ	焼酎
술	막걸리	소주
スル	マッコッリ	ソジュ

おいしいお店を探す

～が食べたいのですが

冷麺が食べたいのですが。
냉면을 먹고 싶은데요.
ネンミョヌル　モッコ　シプンデヨ.

サムギョプサルが食べたいのですが。
삼겹살을 먹고 싶은데요.
サムギョプサル　モッコ　シプンデヨ.

タッカンマリが食べたいのですが。
닭한마리를 먹고 싶은데요.
タッカンマリル　モッコ　シプンデヨ.

サムゲタンが食べたいのですが。
삼계탕을 먹고 싶은데요.
サムゲタンウル　モッコ　シプンデヨ.

カムジャタンが食べたいのですが。
감자탕을 먹고 싶은데요.
カムジャタンウル　モッコ　シプンデヨ.

飲食店編

column

上で紹介しているフレーズ（「～が食べたいのですが」）は、文章の途中で終わっているような感じがするかもしれません。でも、ここまで言えば、こちらが何を言わんとしているか、大方相手が理解してくれるので大丈夫です。もちろん、これに続けて右ページのフレーズを言えれば、より具体的にこちらが求める返事を得られるでしょう。

どこですか?

どこがおいしいですか?
어디가 맛있어요?
オディガ マシッソヨ?

おいしいお店はどこですか?
맛있는 가게가 어디예요?
マシンヌン カゲガ オディエヨ?

人気のお店はどこですか?
인기있는 가게가 어디예요?
インキインヌン カゲガ オディエヨ?

有名なお店はどこですか?
유명한 가게가 어디예요?
ユミョンアン カゲガ オディエヨ?

安くておいしい店はどこですか?
싸고 맛있는 가게가 어디예요?
サゴ マシンヌン カゲガ オディエヨ?

どこにいけばいいですか?
어디에 가면 돼요?
オディエ カミョン デヨ?

詳しく聞く　＊上のフレーズの前につけて言う

この近くで
이 근처에서
イ クンチョエソ

駅の近くで
역 근처에서
ヨッ クンチョエソ

ソウルで
서울에서
ソウレソ

明洞で
명동에서
ミョンドンエソ

出前を頼む

はい。ソウル飯店です。
네, 서울반점입니다.
ネ、ソウルパンジョミムニダ.

配達お願いできますか?
배달돼요?
ペダルデヨ?

注文したいのですが。
주문하고 싶은데요.
チュムナゴ シプンデヨ.

はい。ご注文どうぞ。
네, 말씀하세요.
ネ、マルスマセヨ.

飲食店編

column

「出前」は韓国ドラマの中でもよく出てくる光景で、たくさんの種類があります。なかでも一番人気があるのは、やはりジャージャー麺でしょう。日本と大きく違うのは「こんなところまで届けるの?」と驚くような場所まで配達してくれることです。たとえば漢江沿いの広い公園の中でも届けてくれるんです! ぜひ一度、頼んでみてはいかがでしょうか?

ジャージャー麺3つと餃子ひとつ
자장면 세 개하고 만두 하나
ジャジャンミョン　セゲハゴ　マンドゥ　ハナ

チャンポンひとつとジャージャー麺ひとつ
짬뽕 하나하고 자장면 하나
チャンポン　ハナハゴ　ジャジャンミョン　ハナ

プルコギピザ、ラージサイズ1枚
불고기 피자 라지사이즈 하나
プルコギ　ピジャ　ラジサイズ　ハナ

配達先はどちらですか？
어디세요?
オディセヨ?

ソウルホテル504号室です。
서울호텔 오백사 호예요.
ソウルホテル　オベッサ　ホエヨ.

（ここで使う数字は67ページ）

電話番号を教えてください。
전화번호 불러 주세요.
チョナボノ　プルロ　ジュセヨ.

電話番号は234-9873です。
전화번호는 이삼사에 구팔칠삼이에요.
チョナボノヌン　イサムサエ　クパルチルサミエヨ.

（電話番号の数字は67ページ）

頼んでいません

頼んだものと違うときなどに使うフレーズ

頼んでいません。
안 시켰어요.
アン シキョッソヨ.

(より、ていねいな言い方)
頼んでいません。
안 시켰습니다.
アン シキョッスムニダ.

頼んだものと違います。
시킨 거하고 다른데요.
シキンゴハゴ タルンデヨ.

頼んだものがまだ来ていません。
시킨 게 아직 안 나왔어요.
シキンゲ アジッ アンナワッソヨ.

頼んだスンドゥブチゲがまだ来ていません。
시킨 순두부찌개가 아직 안 나왔어요.
シキン スンドゥブチゲガ アジッ アンナワッソヨ.

ひとつしか頼んでいません。
하나밖에 안 시켰어요.
ハナパッケ アン シキョッソヨ.

飲食店編

パンマル くだけた言い方

頼んでないよ。	違うよ。	まだ来てないよ。
안 시켰어.	달라.	아직 안 왔어.
アン シキョッソ.	タルラ.	アジッ アナッソ.

そのほか、何かが違うときに使うフレーズ

席がひとつ足りません。
자리 하나 모자라요.
チャリ ハナ モジャラヨ.

会計が違います。
계산이 틀린데요.
ケサニ トゥルリンデヨ.

おつりが違います。
거스름돈이 틀린데요.
コスルンドニ トゥルリンデヨ.

2人前ではありません。1人前です。
두 사람 아니에요. 혼자예요.
トゥサラム アニエヨ. ホンジャエヨ.

会話例

A: これは頼んでいませんが。
이거 안 시켰는데요.
イゴ アン シキョンヌンデヨ.

B: 本当ですか？ 味噌チゲふたつではありませんか？
정말요? 된장찌개 두 개 아니에요?
チョンマルリョ？ テンジャンチゲ トゥゲ アニエヨ？

A: 違います、キムチチゲふたつです。
아니에요, 김치찌개 두 개예요.
アニエヨ、キムチチゲ トゥゲエヨ.

B: すみません。すぐお持ちします。
죄송합니다. 금방 갖다 드릴게요.
チェソンハムニダ. クンバン カッタ トゥリルケヨ.

できますか？

できますか？

できますか？
할 수 있어요?
ハルス イッソヨ？

（より、ていねいな言い方）できますか？
할 수 있습니까?
ハルス イッスムニッカ？

～できますか？

飲食店編

追加で注文できますか？
추가로 주문돼요?
チュカロ チュムンデヨ？

注文したものを変更できますか？
주문한 거 바꿀 수 있어요?
チュムナンゴ パックルス イッソヨ？

ここで食べられますか？
여기서 먹을 수 있어요?
ヨギソ モグルス イッソヨ？

予約はできますか？
예약돼요?
イェヤッテヨ？

カードで支払えますか？
카드로 계산할 수 있어요?
カドゥロ ケサナルス イッソヨ？

持ち帰ることができますか？
포장돼요?
ポジャンデヨ？

このキムチ買えますか？
이 김치 살 수 있어요?
イ キムチ サルス イッソヨ？

タクシーを呼ぶことはできますか？
택시 부를 수 있어요?
テクシ プルス イッソヨ？

ここから駅まで歩いて行けますか？
여기서 역까지 걸어 갈 수 있어요?
ヨギソ ヨッカジ コロカルス イッソヨ？

出前できますか？
배달돼요?
ペダルデヨ？

温めなおしてもらえますか？
데워 주실 수 있어요?
テウォ ジュシルス イッソヨ？

*韓国ではチゲやサムゲタンなど、食べている途中でも温めなおしてくれる

返事例

はい、できます。
네, 돼요.
ネ、デヨ.

いいえ、できません。
아뇨, 안 돼요.
アニョ、アンデヨ.

はい、大丈夫です。
네, 괜찮아요.
ネ、ケンチャナヨ.

すみませんが、できません。
죄송해요, 안 돼요.
チェソンヘヨ、アンデヨ.

はい、できますよ。少し待ってください。
네, 돼요. 잠시만 기다리세요.
ネ、デヨ. チャンシマン キダリセヨ.

125

おなかいっぱいです

おなかいっぱいです

おなかいっぱいです。
배 불러요.
ペブルロヨ.

(より、ていねいな言い方)
おなかいっぱいです。
배 부릅니다.
ペブルムニダ.

これ以上食べられません。
이 이상 못 먹어요.
イ イサン モンモゴヨ.

おなかいっぱいで苦しいです。
배 불러서 힘들어요.
ペブルロソ ヒンドゥロヨ.

おなかいっぱいで死にそう。
배 불러서 죽겠어요.
ペブルロソ チュッケッソヨ.

食べすぎて動けないです。
너무 많이 먹어서 못 움직여요.
ノムマニ モゴソ モッ ウンジギョヨ.

食べすぎて気持ち悪いです。
너무 많이 먹어서 속이 안 좋아요.
ノムマニ モゴソ ソギ アンジョアヨ.

もう食べられません。
더 이상 못 먹어요.
トイサン モンモゴヨ.

食べすぎました。
너무 많이 먹었어요.
ノムマニ モゴッソヨ.

おなかすきました

おなかすきました。
배 고파요.
ペゴパヨ.

(より、ていねいな言い方)
おなかすきました。
배 고픕니다.
ペゴプムニダ.

おなかすいて死にそう。
배 고파서 죽겠어요.
ペゴパソ チュッケッソヨ.

おなかすきすぎました。
배가 너무 고파요.
ペガ ノム コパヨ.

くだけた言い方 (パンマル)

おなかいっぱい。	おなかすいた！	苦しい。
배 불러.	배 고파!	힘들어.
ペブロ.	ペゴパ！	ヒンドゥロ.

column

日本でも「おなかがすいて死にそう」と言いますが、韓国でも何かにつけて「死にそう」という言い方をします。「피곤해 죽겠어! ピゴネ チュッケッソ！（疲れて死にそう！）」「좋아 죽겠어! チョア チュッケッソ！（好きで死にそう！）」や、ただ「죽겠어 죽겠어! チュッケッソ チュッケッソ！（死にそう死にそう！）」と騒ぐこともあります。

ちょっと
ひと息 **4**

キムチを使った家庭料理

　日本のスーパーでもキムチは必ずと言っていいほど売っているようになりました。キムチはそのまま食べてもおいしいのですが、いろいろな食べ方ができる食材です。ここでは、私がいつも家で食べている方法をお教えします。

① そのままのっける
- ごはんにキムチをのせて海苔で巻いて食べる
- 納豆にキムチを入れて混ぜて食べる
- ラーメンやお味噌汁に入れて食べる

② 酸味が出てきたキムチを使う

　古くなって酸味が出てきたキムチは、火を通して食べるとまた違ったおいしさが出るのでおすすめです。

- キムチ炒飯：キムチを刻んでご飯と炒める（目玉焼きや刻んだ海苔をのせると、さらにおいしい！）。
- 豚キムチ：豚肉を炒め、キムチを入れてさらに炒めた後、溶き卵を絡めてサッと炒める（好みでキムチの汁を多めに使うか、塩・コショウ・砂糖で味を調える）。
- キムチチゲ：お湯を沸かしてキムチをたっぷり入れて20分ほどを目安に煮込む（お湯が足りなくならないように気をつけて）。これに豆腐を入れてひと煮立ちさせ、塩・コショウで味を調えればでき上がり。

＊私はこれに豚肉またはツナ缶を入れて一緒に煮込みます。煮込む時間によって味が変わるので、慣れてきたら好みの時間煮込めばOK。思ったより簡単で失敗がないので、ぜひ試してみてください。

飲食店編

第5章
これだけフレーズ
観光編

「明洞まで行きますか?」「大人1枚ください」
「何時から始まりますか?」など、乗り物や観光で
使えるフレーズを集めました。
観光地や乗り物の名前、日にちや時間の言い方なども
掲載しています。
行きたい場所、したいこと、見たいものをどんどん聞いて、
旅行をエンジョイしましょう!

行きますか?

行きますか?

行きますか?
가요?
カヨ?

(より、ていねいな言い方)
行きますか?
갑니까?
カムニッカ?

➡ 入れ替えて使おう

明洞	まで行きますか?
명동	까지 가요?
ミョンドン	カジ カヨ?

ソウル・地下鉄駅名

鐘閣	鐘路3街
종각	종로삼가
チョンガク	チョンノサンガ

光化門	東大門
광화문	동대문
カンファムン	トンデムン

南大門	ソウル駅
남대문	서울역
ナンデムン	ソウリョク

江南	狎鴎亭
강남	압구정
カンナム	アックジョン

観光編

地方

釜山	蔚山
부산	울산
プサン	ウルサン

安東	全州
안동	전주
アンドン	ジョンジュ

慶州	水原
경주	수원
キョンジュ	スウォン

春川	大邱
춘천	대구
チュンチョン	テグ

光州	大田
광주	대전
カンジュ	テジョン

空港

仁川空港	金浦空港
인천공항	김포공항
インチョンコンハン	キンポコンハン

返事例

はい、行きます。　　いいえ、行きません。
네, 가요.　　　　　　아뇨, 안 가요.
ネ、カヨ.　　　　　　アニョ、アンガヨ.

行きたいです

行きたいです

行きたいです。
가고 싶어요.
カゴシポヨ.

(より、ていねいな言い方)
行きたいです。
가고 싶습니다.
カゴ シプスムニダ.

➡ 入れ替えて使おう

南大門市場に	行きたいです。
남대문시장에	가고 싶어요.
ナンデムンシジャンエ	カゴシポヨ.

場所「～に」

景福宮に
경복궁에
キョンボックンエ

徳寿宮に
덕수궁에
トクスグンエ

宗廟に
종묘에
チョンミョエ

南山公園に
남산공원에
ナムサンコンウォネ

Nソウルタワーに
엔서울타워에
エンソウルタウォエ

仁寺洞に
인사동에
インサドンエ

ロッテデパートに
롯데백화점에
ロッテペッカジョメ

新世界デパートに
신세계백화점에
シンセゲペッカジョメ

乗り物「〜で」

- 飛行機で
  비행기로
  ピヘンギロ

- 地下鉄で
  지하철로
  チハチョルロ

- タクシーで
  택시로
  テクシロ

誰と

- 友だちと
  친구하고
  チングハゴ

- 彼氏と
  남자친구하고
  ナムジャチングハゴ

- 彼女と
  여자친구하고
  ヨジャチングハゴ

column

韓国語は日本語と語順がほぼ一緒ですので、日本語で考えた通りに単語を並べていけば通じます。たとえば、
「景福宮に+友だちと+地下鉄で+行きたいです」と言いたければ、

キョンボックンエ+チングハゴ+チハチョルロ+カゴシポヨ.
경복궁에 + 친구하고 + 지하철로 + 가고 싶어요.

と並べればいいのです。
ちなみに、これを「景福宮に地下鉄で友だちと行きたいです」と入れ替えても通じます。

パンマル くだけた言い方

行きたい!	行きたかった!	行きたいね!
가고 싶어!	가고 싶었어!	가고 싶네!
カゴシポ!	カゴシッポッソ!	カゴシンネ!

乗り物

乗り物

地下鉄	バス	タクシー
지하철 チハチョル	버스 ボス	택시 テクシ

飛行機	船	汽車
비행기 ピヘンギ	배 ペ	기차 キチャ

高速バス	空港鉄道 (A-REX)	車
고속버스 コソッボス	공항철도 コンハンチョルド	차 チャ

フェリー	リムジンバス	遊覧船
페리 ペリ	리무진버스 リムジンボス	유람선 ユランソン

ケーブルカー	KTX 鉄道	マウルバス
케이블카 ケイブルカ	케이티엑스철도 ケイティエックスチョルド	마을버스 マウルボス

電車	オートバイ	自転車
전철 ジョンチョル	오토바이 オトバイ	자전거 チャジョンゴ

模範タクシー
모범택시
モボンテクシ

*日本語が話せる運転手が多くサービスがよいが割高

観光編

地下鉄

1号線
일호선
イロソン

2号線
이호선
イホソン

3号線
삼호선
サモソン

4号線
사호선
サホソン

5号線
오호선
オホソン

6号線
육호선
ユコソン

7号線
칠호선
チロソン

8号線
팔호선
パロソン

9号線
구호선
クホソン

➡ 入れ替えて使おう *入れ替えればいろいろ言える

地下鉄	で行きたいです。
지하철 チハチョル	로 가고 싶어요. ロ カゴシポヨ.

タクシー	で行きます。
택시 テクシ	로 가요. ロ カヨ.

汽車	に乗りたいです。
기차 キチャ	를 타고 싶어요. ル タゴ シポヨ.

ケーブルカー	に乗ります。
케이블카 ケイブルカ	를 타요. ル タヨ.

マウルバス	で行けますか?
마을버스 マウルボス	로 갈 수 있어요? ロ カルス イッソヨ?

行ってください

行ってください

行ってください。
가 주세요.
カジュセヨ.

(地図など見せて) ここに行ってください。
여기에 가 주세요.
ヨギエ カジュセヨ.

➡ **入れ替えて使おう** ＊130～131ページの単語が使える

明洞	まで行ってください。
명동 ミョンドン	까지 가 주세요. カジ カジュセヨ.

ロッテホテル	まで行ってください。
롯데호텔 ロッテホテル	까지 가 주세요. カジ カジュセヨ.

運転手さんが行き先を知らなかったら

(地図を渡して) これが地図です。
이게 지도예요.
イゲ チドエヨ.

これが電話番号です。
이게 전화번호예요.
イゲ チョナボノエヨ.

＊行先の電話番号がわかれば運転手が電話で場所を確認して連れて行ってくれる

観光編

～行ってください

急いで行ってください。　ゆっくり行ってください。
빨리 가 주세요.　　　　　천천히 가 주세요.
パリ　カジュセヨ.　　　　チョンチョニ　カジュセヨ.

一番近い駅まで行ってください。
제일 가까운 역까지 가 주세요.
チェイル　カッカウン　ヨッカジ　カジュセヨ.

3時までに行ってください。
세 시까지 가 주세요.
セシッカジ　カジュセヨ.

> 時間の言い方は 154-155ページ

ほかの道で行ってください。
다른 길로 가 주세요.
タルン　キルロ　カジュセヨ.

デパートの前まで行ってください。
백화점 앞까지 가 주세요.
ペッカジョン　アッカジ　カジュセヨ.

車で行けるところまで行ってください。
차로 갈 수 있는 데까지 가 주세요.
チャロ　カルスインヌン　テカジ　カジュセヨ.

パンマル　**くだけた言い方**

行って！	行ってみて！	早く行って！
가!	가 봐!	빨리 가!
カ!	カバ!	パリガ!

ください／してください

ください

ください。
주세요.
ジュセヨ.

(ほかの「ください」は 57、68-69、102-105ページ)

➡ 入れ替えて使おう

領収書	ください。
영수증	주세요.
ヨンスジュン	ジュセヨ.

おつり
거스름돈
コスルムトン

前売り
예매
イェメ

切符
표
ピョ

(予約の場合は 140-141ページ)

大人1枚
어른 한 장
オルン ハンジャン

大人2枚
어른 두 장
オルン トゥジャン

交通カード (T-money)
교통카드 (티머니)
キョトンカドゥ (ティモニ)

往復、大人2枚
왕복 어른 두 장
ワンボッ オルン トゥジャン

大人2枚と子ども1枚
어른 두 장하고 어린이 한 장
オルン トゥジャンハゴ オリニ ハンジャン

片道
편도
ピョンド

往復
왕복
ワンボク

特別室 (グリーン車)
특별실
トゥッピョルシル

138

➡ 入れ替えて使おう

ここで止めて ください。
여기서 세워 주세요.
ヨギソ セオ ジュセヨ.

この地図を見て
이 지도를 봐
イ チドル バ

お店に電話して
가게에 전화해
カゲエ チョナヘ

次の信号で止めて
다음 신호등에서 세워
タウン シノドゥン エソ セオ

確認して
확인해
ファギネ

チャージして
충전해
チュンジョネ

メーターをおろして
미터 켜
ミト キョ

少し待っていて
잠시만 기다려
チャンシマン キダリョ

会話例

A: いらっしゃいませ。どこまで行かれますか？
어서 오세요. 어디까지 가세요?
オソオセヨ. オディッカジカセヨ?

B: ロッテデパートまで行ってください。
롯데백화점까지 가 주세요.
ロッテペッカジョンッカジ カジュセヨ.

A: 正門で止めますね。
정문에서 세워 드릴게요.
チョンムネソ セオ トゥリルケヨ.

139

チケット予約

予約する

予約したいのですが。
예약하고 싶은데요.
イェヤカゴ シプンデヨ.

予約お願いします。
예약 부탁드립니다.
イェヤッ プタットゥリムニダ.

こちらで予約できますか？
여기서 예약돼요?
ヨギソ イェヤッテヨ？

いつ？

今日	明日	あさって
오늘	내일	모레
オヌル	ネイル	モレ

朝	昼	夜
아침	점심	밤
アッチム	チョンシム	パム

午前	午後	深夜
오전	오후	심야
オジョン	オフ	シミャ

チケットの区分

大人	子ども	幼児
어른	어린이	유아
オルン	オリニ	ユア

観光編

日時

○○月
○○월
○○ ウォル

○○日
○○일
○○ イル

~月、~日の言い方は156-157ページ

○○時
○○시
○○ シ

○○時から
○○시부터
○○ シ ブト

時間の言い方は154-155ページ

○○時○○分
○○시○○분
○○シ○○プン

○○時○○分発
○○시○○분발
○○シ○○プンパル

曜日

月曜日	火曜日	水曜日	木曜日
월요일	화요일	수요일	목요일
ウォリョイル	ファヨイル	スヨイル	モギョイル

金曜日	土曜日	日曜日
금요일	토요일	일요일
クミョイル	トヨイル	イリョイル

枚数

1枚	2枚	3枚
한 장	두 장	세 장
ハンジャン	トゥジャン	セジャン

4枚	5枚	6枚
네 장	다섯 장	여섯 장
ネジャン	タソッチャン	ヨソッチャン

方向を示す表現

行ってほしい方向を示す表現

まっすぐ行ってください。

똑바로 가 주세요.
トッパロ カジュセヨ.

駅まで戻ってください。

역까지 되돌아가 주세요.
ヨッカジ テドラ カジュセヨ.

(指をさして) あちらへ行ってください。

저기에 가 주세요.
チョギエ カジュセヨ.

向こう側に行ってください。

건너편으로 가 주세요.
コンノピョヌロ カジュセヨ.

東西南北

北
북
プク

西
서
ソ

東
동
トン

南
남
ナム

前後左右

前
앞
アプ

左
왼쪽
ウェンチョク

真ん中
가운데
カウンデ

右
오른쪽
オルンチョク

後ろ
뒤
ティ

～してください

曲がってください。
돌아 주세요.
トラジュセヨ.

止めてください。
세워 주세요.
セオジュセヨ.

行ってください。
가 주세요.
カジュセヨ.

戻ってください。
되돌아가 주세요.
テドラ カジュセヨ.

目印になるようなもの

信号
신호등
シノドゥン

横断歩道
횡단보도
フェンダンボド

交差点
교차로
キョチャロ

コンビニ
편의점
ピョニジョム

銀行
은행
ウネン

郵便局
우체국
ウチェグク

143

降ります

降ります

降ります。
내려요.
ネリョヨ.

(より、ていねいな言い方)
降ります。
내립니다.
ネリムニダ.

バス・電車・タクシーなどで使える表現

ここで降ります。
여기서 내려요.
ヨギソ ネリョヨ.

次、降ります。
다음에 내려요.
タウメ ネリョヨ.

運転手さん！ 降ります。
기사님! 내려요.
キサニン！ ネリョヨ.

➡ **組み合わせて使おう** *○○に降りたい場所を入れる

○○で降ります。
○○에서 내려요.
○○エソ ネリョヨ.

観光編

パンマル

くだけた言い方

降りるよ！	降りよう！	降りて！
내려!	내리자!	내려!
ネリョ！	ネリジャ！	ネリョ！

バスのアナウンス例

次の停留所は南大門です。
이번 정류장은 남대문입니다.
イボン ジョンニュジャウン ナンデムンイムニダ.

その次の停留所はソウル駅です。
다음 정류장은 서울역입니다.
タウン ジョンニュジャウン ソウリョギムニダ.

＊このように次の停留所と、その次の停留所の名前を言うので、間違えないように気をつけよう。

> **column**

韓国のバスは日本と違うところがいくつかあり、乗りこなすのは至難の業と言われています。
まずバス停で並んで待つことはあまりなく、乗りたいバスが停留所近くに来たら、そのバスに向かって走ります。前のドアから早い者順に乗り込み、あらかじめチャージしておいた交通カードをタッチします。
降りたいときにブザーを鳴らすのは日本と同じです。ただアナウンスが次の停留所を言ったあと、その次の停留所の案内も言うので、間違えないように注意してください。
また、日本では「停止してからお立ちください」と注意のアナウンスがありますが、韓国では止まってから立っていたら降りるのが間に合わなくなる恐れがあります。ひとつ手前の停留所を過ぎたら降り口付近まで移動しておきましょう。
そして降りるときにも交通カードをタッチしておくと、そのあと一定の時間内に地下鉄やバスに乗り継いだ場合、乗り継ぎ料金が適応されるので忘れないようにしましょう。

行けますか？

行けますか？

行けますか？
갈 수 있어요?
カルスイッソヨ?

(より、ていねいな言い方)
行けますか？
갈 수 있습니까?
カルス イッスムニッカ?

➡ **入れ替えて使おう**

このバスで	行けますか？
이 버스로 イ ボスロ	갈 수 있어요? カルスイッソヨ?

地下鉄で	歩いて
지하철로 チハチョルロ	걸어서 コロソ

バスで	この地下鉄で
버스로 ボスロ	이 지하철로 イ チハチョルロ

10分ほどで	30分ほどで
십 분정도면 シップン ジョンドミョン	삼십 분정도면 サンシップン ジョンドミョン

お昼までに	9時までに
점심까지 チョンシンカジ	아홉 시까지 アホプシッカジ

明日は	雨でも
내일은 ネイルン	비 와도 ピワド

観光編

146

返事例

はい、行けます。
네, 갈 수 있어요.
ネ、カルス イッソヨ.

いいえ、行けません。
아뇨, 갈 수 없어요.
アニョ、カルス オプソヨ.

行けるけれど歩いて20分かかります。
갈 수는 있지만 걸어서 이십 분 걸려요.
カルスヌン イッチマン コロソ イシップン コルリョヨ.

地下鉄で15分ほどで行けます。
지하철로 십오 분정도면 갈 수 있어요.
チハチョルロ シボブン ジョンドミョン カルスイッソ.

会話例

A: 景福宮まで歩いて行けますか？
경복궁까지 걸어서 갈 수 있어요?
キョンボックンッカジ コロソ カルス イッソヨ？

B: 歩いて30分くらいかかります。
걸어서 삼십 분 쯤 걸려요.
コロソ サンシブン チュン コルリョヨ.

A: 地下鉄のほうがいいですか？
지하철이 더 나을까요?
チハチョリ ト ナウルカヨ？

B: 地下鉄なら10分ほどで行けます。
지하철로 가면 십 분정도면 갈 수 있어요.
チハチョルロ カミョン シップン ジョンドミョン カルスイッソヨ.

147

何時ですか?

何時ですか?

何時ですか?
몇 시예요?
ミョッシエヨ？

（より、ていねいな言い方）
何時ですか?
몇 시입니까?
ミョッシイムニッカ？

➡ 入れ替えて使おう

今	何時ですか?
지금 チグン	몇 시예요? ミョッシエヨ？

開店は	閉店は
개점은 ケジョムン	폐점은 ペジョムン

飛行機は	帰りの飛行機は
비행기는 ピヘンギヌン	돌아오는 비행기는 トラオヌン ピヘンギヌン

予約は	エステの予約は
예약은 イェヤグン	에스테 예약은 エステ イェヤグン

集合時間は	終わりの時間は
집합시간은 チパッシガヌン	끝나는 시간은 クンナヌン シガヌン

開演は	待ち合わせは
시작은 シジャグン	약속은 ヤクソグン

観光編

電車、バスに関する「何時ですか？」

何時に発車しますか？
몇 시에 출발해요?
ミョッシエ　チュルバレヨ？

何時に到着しますか？
몇 시에 도착해요?
ミョッシエ　トチャケヨ？

終電は何時ですか？
막차는 몇 시예요?
マッチャヌン　ミョッシエヨ？

始発は何時ですか？
첫차는 몇 시예요?
チョッチャヌン　ミョッシエヨ？

---

column

「韓国人は時間にルーズ」と、耳にすることがあります。でも、私を含め周りの人は待ち合わせに大幅に遅れることはなく、時間にルーズという印象はありません（時間に正確な韓国人もいるのです）。
しかし、韓国旅行帰りの日本人から「ガイドブックやインターネットで調べた営業時間に行ったのに、店が閉まっていた」とか「店が開いているような、開いていないような感じだった」といった話を聞くことがあります。
確かに営業時間については、日本のように正確ではなく、お客が来たら始める…というようなことが、たまにあるかもしれません。

何時から何時まで?

何時からですか?

何時からですか?
몇 시부터예요?
ミョッシブトエヨ?

(より、ていねいな言い方) 何時からですか?
몇 시부터입니까?
ミョッシブト イムニッカ?

何時から始まりますか?
몇 시부터 시작해요?
ミョッシブト シジャケヨ?

> 時間の言い方は154-155ページ

~は何時からですか?

朝食は何時からですか?
아침은 몇 시부터예요?
アッチムン ミョッシブトエヨ?

朝食は何時から何時までですか?
아침은 몇 시부터 몇 시까지예요?
アッチムン ミョッシブト ミョッシッカジエヨ?

夜の公演は何時からですか?
밤 공연은 몇 시부터예요?
パン コンヨヌン ミョッシブトエヨ?

営業時間は何時からですか?
영업시간은 몇 시부터예요?
ヨンオッシガヌン ミョッシブトエヨ?

日本語ガイドは何時からですか?
일본어 가이드는 몇 시부터예요?
イルボノガイドゥヌン ミョッシブトエヨ?

観光編

何時までですか？

何時までですか？
몇 시까지예요?
ミョッシッカジエヨ?

(より、ていねいな言い方)
何時までですか？
몇 시까지입니까?
ミョッシッカジ イムニッカ?

～は何時までですか？

営業時間は何時までですか？
영업시간은 몇 시까지예요?
ヨンオッシガヌン ミョッシッカジエヨ?

昼の公演は何時から何時までですか？
낮 공연은 몇 시부터 몇 시까지예요?
ナッコンヨヌン ミョッシブト ミョッシッカジエヨ?

何時までに～？

何時までにできますか？
몇 시까지 돼요?
ミョッシッカジ デヨ?

何時までに届きますか？
몇 시까지 도착해요?
ミョッシッカジ トチャケヨ?

何時までに行けばいいですか？
몇 시까지 가면 돼요?
ミョッシッカジ ガミョン デヨ?

何時までに来たらいいですか？
몇 시까지 오면 돼요?
ミョッシッカジ オミョン デヨ?

151

できますか?

できますか?

できますか?
할 수 있어요?
ハルス イッソヨ?

(より、ていねいな言い方)
できますか?
할 수 있습니까?
ハルス イッスムニッカ?

～できますか?

行けますか?
갈 수 있어요?
カルス イッソヨ?

来られますか?
올 수 있어요?
オルス イッソヨ?

見えますか?
보여요?
ポヨヨ?

見られますか?
볼 수 있어요?
ポルス イッソヨ?

乗れますか?
탈 수 있어요?
タルス イッソヨ?

座れますか?
앉을 수 있어요?
アンジュルス イッソヨ?

予約はできますか?
예약할 수 있어요?
イェヤカルス イッソヨ?

日本語はできますか?
일본어 할 수 있어요?
イルボノ ハルス イッソヨ?

食べられますか?
먹을 수 있어요?
モグルス イッソヨ?

作れますか?
만들 수 있어요?
マンドゥルス イッソヨ?

読めますか?
읽을 수 있어요?
イルグルス イッソヨ?

書けますか?
쓸 수 있어요?
スルス イッソヨ?

観光編

パンマル くだけた言い方

できる?	できるよ!	できるでしょ?
할 수 있어?	할 수 있어!	할 수 있지?
ハルス イッソ?	ハルス イッソ!	ハルス イッチ?

返事例

できます。
할 수 있어요.
ハルス イッソヨ.

(より、ていねいな言い方)
できます。
할 수 있습니다.
ハルス イッスムニダ.

行けます。
갈 수 있어요.
カルス イッソヨ.

来られます。
올 수 있어요.
オルス イッソヨ.

見えます。
보여요.
ポヨヨ.

見られます。
볼 수 있어요.
ポルス イッソヨ.

乗れます。
탈 수 있어요.
タルス イッソヨ.

座れます。
앉을 수 있어요.
アンジュルス イッソヨ.

予約できます。
예약할 수 있어요.
イェヤカルス イッソヨ.

日本語できます。
일본어 할 수 있어요.
イルボノ ハルス イッソヨ.

食べられます。
먹을 수 있어요.
モグルス イッソヨ.

作れます。
만들 수 있어요.
マンドゥルス イッソヨ.

曜日と時間、昨日・明日

曜日

月曜日	火曜日	水曜日	木曜日
월요일	화요일	수요일	목요일
ウォリョイル	ファヨイル	スヨイル	モギョイル

金曜日	土曜日	日曜日	何曜日
금요일	토요일	일요일	무슨 요일
クミョイル	トヨイル	イリョイル	ムスン ヨイル

時間

1時	2時	3時	4時
한 시	두 시	세 시	네 시
ハンシ	トゥシ	セシ	ネシ

5時	6時	7時	8時
다섯 시	여섯 시	일곱 시	여덟 시
タソッシ	ヨソッシ	イルゴプシ	ヨドルシ

9時	10時	11時	12時
아홉 시	열 시	열한 시	열두 시
アホプシ	ヨルシ	ヨランシ	ヨルトゥシ

夜明け	朝	昼	夕方
새벽	아침	점심	저녁
セビョク	アチム	チョンシム	チョニョク

夜	深夜	午前	午後
밤	심야	오전	오후
パム	シミャ	オジョン	オフ

観光編

5分 오 분 オブン	10分 십 분 シップン	15分 십오 분 シボブン	20分 이십 분 イシップン
25分 이십오 분 イシボブン	30分 삼십 분 サンシップン	35分 삼십오 분 サンシボブン	40分 사십 분 サシップン
45分 사십오 분 サシボブン	50分 오십 분 オシップン	55分 오십오 분 オシボブン	60分 육십 분 ユクシップン

いつ

おととい 그저께 クジョッケ	昨日 어제 オジェ	今日 오늘 オヌル	明日 내일 ネイル
あさって 모레 モレ	しあさって 글피 クルピ	週末 주말 チュマル	1週間 일주일 イルチュイル

時間に関するフレーズ

午後3時に会いましょう。

오후 세 시에 만나요.
オフ セシエ マンナヨ.

約束は
176-177ページ

7時30分で予約をお願いします。

일곱 시 삼십 분으로 예약 부탁합니다.
イルゴプシ サンシップヌロ イェヤッ プタカムニダ.

予約は
140-141ページ

月日

～月

1月	2月	3月	4月
일 월 イロル	이 월 イウォル	삼 월 サモル	사 월 サウォル

5月	6月	7月	8月
오 월 オウォル	유 월 ユウォル	칠 월 チロル	팔 월 パロル

9月	10月	11月	12月
구 월 クウォル	시 월 シウォル	십일 월 シビロル	십이 월 シビウォル

年月日

先月	今月	来月	去年
지난달 チナンダル	이번 달 イボンダル	다음달 タウンダル	작년 チャンニョン

今年	来年	上旬	下旬
올해/금년 オレ/クンニョン	내년 ネニョン	초 チョ	말 マル

年末	年始	半年	1年
연말 ヨンマル	연시 ヨンシ	반년 パンニョン	일년 イルニョン

春	夏	秋	冬
봄 ポム	여름 ヨルム	가을 カウル	겨울 キョウル

観光編

～日

1日 일 일 イリル	2日 이 일 イイル	3日 삼 일 サミル	4日 사 일 サイル
5日 오 일 オイル	6日 육 일 ユギル	7日 칠 일 チリル	8日 팔 일 パリル
9日 구 일 クイル	10日 십 일 シビル	11日 십일 일 シビリル	12日 십이 일 シビイル
13日 십삼 일 シッサミル	14日 십사 일 シッサイル	15日 십오 일 シボイル	16日 십육 일 シッユギル
17日 십칠 일 シッチリル	18日 십팔 일 シッパリル	19日 십구 일 シックイル	20日 이십 일 イシビル
21日 이십일 일 イシビリル	22日 이십이 일 イシビイル	23日 이십삼 일 イシッサミル	24日 이십사 일 イシッサイル
25日 이십오 일 イシボイル	26日 이십육 일 イシッユギル	27日 이십칠 일 イシッチリル	28日 이십팔 일 イシッパリル
29日 이십구 일 イシックイル	30日 삼십 일 サンシビル	31日 삼십일 일 サンシビリル	

どのくらいかかりますか？

どのくらいかかりますか？

どのくらいかかりますか？

얼마나 걸려요?
オルマナ コルリョヨ?

➡ 入れ替えて使おう

歩いて	どのくらいかかりますか？
걸어서 コロソ	얼마나 걸려요? オルマナ コルリョヨ?

地下鉄で	バスで
지하철로 チハチョルロ	버스로 ボスロ

タクシーで	飛行機で
택시로 テクシロ	비행기로 ピヘンギロ

始まるまで	終わるまで
시작하기까지 シジャカギッカジ	끝나기까지 クンナギッカジ

次の出発まで	次の到着まで
다음 출발까지 タウン チュルバルッカジ	다음 도착까지 タウン トチャッカジ

でき上がるまで	発売まで
다 되기까지 タ テギッカジ	발매하기까지 パルメハギッカジ

観光編

➡ **入れ替えて使おう**

30分
삼십 분
サンシップン

かかります。
걸려요.
コルリョヨ.

> 時間の言い方は 154-155ページ

○○分
○○분
○○プン

○○時間
○○시간
○○シガン

時間が
시간이
シガニ

しばらく
조금
チョグム

時間はかかりません

すぐです。
금방이에요.
クンバンイエヨ.

時間はあまりかかりません。
시간은 별로 안 걸려요.
シガヌン ビョルロ アン コルリョヨ.

会話例

A: ソウル駅までどのくらいかかりますか？
서울역까지 얼마나 걸려요?
ソウルリョッカジ オルマナ コルリョヨ?

B: 歩いて15分かかります。タクシーがいいですよ。
걸어서 십오 분 걸려요. 택시로 가는 게 좋아요.
コロソ シボブン コルリョヨ. テクシロ カヌンゲ チョアヨ.

A: ではタクシーで行きます。
그럼 택시로 갈게요.
クロム テクシロ カルケヨ.

ちょっと 5
ひと息

地下鉄で困ったときのとっさのひと言

韓国人が切符を買えない？

　交通カードの普及とともに駅員さんが少なくなったので、トラブルが起きたときは困ります。恥ずかしい話ですが、長い間日本にいた私も韓国に帰ってスムーズに切符を買えなかったことがあります。韓国人は困っている人を見ると、すぐに助けてくれるのですが、韓国語でなく英語で話しかけられてしまいました。まさか韓国人が切符を買えないでいるとは思わなかったのでしょうね。

困ったときのとっさのひと言

《切符が買えないとき》

「明洞までの切符を1枚買いたいです」

명동까지 가는 표를 사고 싶어요.

ミョンドンッカジ　カヌンピョルル　サゴシポヨ.

「お金はどこに入れますか？」

돈은 어디에 넣어요?　トヌン　オディエ　ノオヨ？

「切符が出てきませんが、どうしてですか？」

표가 왜 안 나오죠?　ピョガ　ウェ　アンナオジョ？

《交通カードについて》

「何かおかしいです（変です）」

이상해요.　イサンエヨ.

「なぜ通過できないのですか？」

왜 안 들어가요?　ウェ　アンドゥロガヨ？

「チャージができません」

충전이 안 돼요.　チュンジョニ　アンデヨ.

観光編

第6章
これだけフレーズ 友だち編

「はじめまして」「血液型は何ですか?」
「明日会いましょう」など、友だちとの会話で
使えるフレーズを集めました。
韓国の人は相手の年齢をよく聞くので年齢の言い方、
また家族のこともよく聞くので、家族・親族を表す単語も
掲載しています。
どんどん友だちを作って、いろいろ話してみましょう!

はじめまして

初対面のあいさつ

はじめまして。
처음 뵙겠습니다.
チョウム ベッケッスムニダ.

お会いできてうれしいです。
만나서 반갑습니다.
マンナソ パンガッスムニダ.

お会いしたかったです。
만나고 싶었어요.
マンナゴ シポッソヨ.

どうぞよろしくお願いします。
잘 부탁합니다.
チャル プタカムニダ.

友だちになりましょう。
친구 해요.
チングヘヨ.

メールアドレスを教えてください。
메일 주소 가르쳐 주세요.
メイルジュソ カルチョ ジュセヨ.

私のことを○○と呼んでください。
○○라고 불러 주세요.
○○ラゴ プルロ ジュセヨ.

友だち編

相手に質問する

お名前は何ですか？
이름이 뭐예요?
イルミ モエヨ?

> 返事は
> 164-165ページ

お仕事は何ですか？
직업이 뭐예요?
チゴビ モエヨ?

趣味は何ですか？
취미가 뭐예요?
チュミガ モエヨ?

何歳ですか？
몇 살이에요?
ミョッサリエヨ?

> 詳しくは
> 180-181ページ

何とお呼びしたらいいですか？
뭐라고 부르면 돼요?
モラゴ プルミョン デヨ?

どこに住んでいますか？
어디에 살아요?
オディエ サラヨ?

学生ですか？
학생이에요?
ハクセンイエヨ?

会社員ですか？
회사원이에요?
フェサウォニエヨ?

163

自己紹介する

私の名前は~です

> 私の名前は○○○○と申します。
> 제 이름은○○○○라고 합니다.
> チェ イルムン ○○○○ラゴ ハムニダ.

> 私の名前は○○○○です。
> 제 이름은○○○○예요.
> チェ イルムン○○○○エヨ.

(名前を聞く言い方は 34、163ページ)

➡ 入れ替えて使おう

私は	会社員です。
저는	회사원이에요.
チョヌン	フェサウォニエヨ.

主婦です。	学生です。
주부예요.	학생이에요.
チュブエヨ.	ハクセンイエヨ.

公務員です。	銀行員です。
공무원이에요.	은행원이에요.
コンムウォニエヨ.	ウネンウォニエヨ.

教師です。	看護師です。
교사예요.	간호사예요.
キョサエヨ.	カノサエヨ.

販売員です。	美容師です。
판매원이에요.	미용사예요.
パンメウォニエヨ.	ミヨンサエヨ.

友だち編

➡ **入れ替えて使おう**

趣味は
취미는
チュミヌン

読書です。
독서예요.
トクソエヨ.

> 趣味を聞く言い方は 34、163ページ

ショッピングです。
쇼핑이에요.
ショピンイエヨ.

旅行です。
여행이에요.
ヨヘンイエヨ.

料理です。
요리예요.
ヨリエヨ.

カラオケです。
노래 부르기예요.
ノレブルギエヨ.

韓国ドラマです。
한국 드라마예요.
ハングットゥラマエヨ.

登山です。
등산이에요.
トゥンサニエヨ.

映画鑑賞です。
영화 감상이에요.
ヨンファガムサンイエヨ.

音楽鑑賞です。
음악 감상이에요.
ウマッカムサンイエヨ.

➡ **入れ替えて使おう**

私は
저는
チョヌン

日本人です。
일본 사람이에요.
イルボンサラミエヨ.

韓国人です。
한국 사람이에요.
ハングッサラミエヨ.

中国人です。
중국 사람이에요.
チュングッサラミエヨ.

相手のことを聞く①

彼女はいますか?

彼女はいますか?
여자 친구 있어요?
ヨジャチング イッソヨ?

彼氏はいますか?
남자 친구 있어요?
ナムジャチング イッソヨ?

返事例

はい、います。
네, 있어요.
ネ、イッソヨ.

いいえ、いません。
아니요, 없어요.
アニヨ、オプソヨ.

婚約者がいます。
약혼자가 있어요.
ヤコンジャガ イッソヨ.

最近別れました。
최근에 헤어졌어요.
チェグネ ヘオジョッソヨ.

結婚していますか?

結婚していますか?
결혼했어요?
キョロネッソヨ?

返事例

結婚しています。
결혼했어요.
キョロネッソヨ.

まだ結婚していません。
아직 결혼 안 했어요.
アジッ キョロナネッソヨ.

離婚しました。
이혼했어요.
イホネッソヨ.

独身です。
독신이에요.
トッシニエヨ.

いつまで滞在しますか？

いつまで滞在しますか？
언제까지 머물러요?
オンジェッカジ モムルロヨ？

○月○日までです。
○월○일까지예요.
○ウォル○イルッカジエヨ.

月日の言い方は 156-157ページ

なぜ勉強していますか？

なぜ日本語を勉強していますか？
왜 일본어를 공부해요?
ウェ イルボノル コンブヘヨ？

なぜ韓国語を勉強していますか？
왜 한국어를 공부해요?
ウェ ハングゴル コンブヘヨ？

返事例

友だちが欲しいからです。
친구를 사귀고 싶어서요.
チングル サグィゴ シポソヨ.

K-POPを歌いたいからです。
K-POP을 부르고 싶어서요.
ケイパプル プルゴ シポソヨ.

字幕なしでドラマが見たいからです。
자막 없이 드라마를 보고 싶어서요.
チャマゴッシ ドゥラマル ポゴシポソヨ.

相手のことを聞く②

血液型は何ですか？

血液型は何ですか？
혈액형이 뭐예요?
ヒョレキョンイ モエヨ？

返事例

A 型です。
A형이에요.
エイヒョンイエヨ.

B 型です。
B형이에요.
ビヒョンイエヨ.

O 型です。
O형이에요.
オヒョンイエヨ.

AB 型です。
AB형이에요.
エイビヒョンイエヨ.

干支は何ですか？

干支は何ですか？
무슨 띠예요?
ムスン ッティエヨ？

十二支

ねずみ	うし	とら
쥐 チ	소 ソ	호랑이 ホランイ

うさぎ	たつ	へび
토끼 トッキ	용 ヨン	뱀 ペム

友だち編

うま	ひつじ	さる
말 マル	양 ヤン	원숭이 ウォンスンイ

とり	いぬ	いのしし (ぶた)
닭 タク	개 ケ	돼지 テジ

専攻は何ですか?

専攻は何ですか?

전공이 뭐예요?
チョンゴンイ モエヨ?

専攻のいろいろ

文系	理系	経済学
문과 ムンカ	이과 イカ	경제학 キョンジェハク

文学	法学	教育学
문학 ムナク	법학 ポパク	교육학 キョユカク

外国語	医学	薬学
외국어 ウェグゴ	의학 ウィハク	약학 ヤカク

社会学	史学	工学
사회학 サフェハク	역사학 ヨクサハク	공학 コンハク

相手の好みを聞く

好きですか？

好きですか？	(より、ていねいな言い方) お好きですか？
좋아해요? チョアヘヨ?	좋아합니까? チョアハムニッカ?

➡ 入れ替えて使おう　*人の名前やドラマのタイトル、曲名など日本語と同じように入れ替えられる

韓国ドラマ	好きですか？
한국 드라마 ハングットゥラマ	좋아해요? チョアヘヨ?

韓国料理	日本食
한국 요리 ハングンニョリ	일식 イルシク

映画	旅行
영화 ヨンファ	여행 ヨヘン

K-POP	ショッピング
케이팝 ケイパプ	쇼핑 ショピン

お酒	ケーキ
술 スル	케이크 ケイク

ドライブ	スポーツ観戦
드라이브 ドゥライブ	스포츠 관전 スポツ カンジョン

友だち編

170

好きな〜は?

好きな韓国ドラマは何ですか?
좋아하는 한국 드라마는 뭐예요?
チョアハヌン ハングットゥラマヌン モエヨ?

好きな食べ物は何ですか?
좋아하는 음식은 뭐예요?
チョアハヌン ウンシグン モエヨ?

好きなお酒は何ですか?
좋아하는 술은 뭐예요?
チョアハヌン スルン モエヨ?

好きな歌手は誰ですか?
좋아하는 가수는 누구예요?
チョアハヌン カスヌン ヌグエヨ?

好きな俳優は誰ですか?
좋아하는 배우는 누구예요?
チョアハヌン ペウヌン ヌグエヨ?

韓国で好きな場所はどこですか?
한국에서 좋아하는 곳은 어디예요?
ハングゲソ チョアハヌン ゴスン オディエヨ?

パンマル　くだけた言い方

何が好き?	好きなの?	好きでしょ?
뭐 좋아해?	좋아하니?	좋아하지?
モ チョアヘ?	チョアハニ?	チョアハジ?

提案する①

行きましょう

行きましょう。
갑시다.
カプシダ.

行きましょうか?
갈까요?
カルッカヨ?

明洞に行きましょう。
명동에 갑시다.
ミョンドンエ カプシダ.

見ましょう

見ましょう。
봅시다.
ポプシダ.

見ましょうか?
볼까요?
ポルッカヨ?

映画を見に行きましょう。
영화 보러 갑시다.
ヨンファボロ カプシダ.

食べましょう

食べましょう。
먹읍시다.
モグプシダ.

食べましょうか?
먹을까요?
モグルッカヨ?

プデチゲを食べましょう。
부대찌개를 먹읍시다.
プデチゲル モグプシダ.

友だち編

172

～しましょう

始めましょう。
시작합시다.
シジャカプシダ.

始めましょうか？
시작할까요?
シジャカルッカヨ？

終わりましょう。
끝냅시다.
クンネプシダ.

終わりましょうか？
끝낼까요?
クンネルッカヨ？

少し休みましょう。
잠깐 쉽시다.
チャンカン シプシダ.

少し休みましょうか？
잠깐 쉴까요?
チャンカン シルッカヨ？

遊びましょう。
놉시다.
ノプシダ.

遊びましょうか？
놀까요?
ノルッカヨ？

やってみましょう。
해 봅시다.
ヘボプシダ.

やってみましょうか？
해 볼까요?
ヘボルッカヨ？

帰りましょう。
돌아갑시다.
トラガプシダ.

帰りましょうか？
돌아갈까요?
トラガルッカヨ？

パンマル　くだけた言い方

行こう！
가자!
カジャ！

見よう！
보자!
ポジャ！

食べよう！
먹자!
モクチャ！

提案する②

休みましょう

休みましょう。	休みましょうか？
쉽시다.	쉴까요?
シプシダ.	シルッカヨ？

➡ 入れ替えて使おう

ここで
여기서
ヨギソ

休みましょう。
쉽시다.
シプシダ.

カフェで
카페에서
カペエソ

公園で
공원에서
コンウォネソ

ベンチで
벤치에서
ペンチエソ

明洞に移動してから
명동으로 이동하고 나서
ミョンドンウロ イドンハゴ ナソ

見学してから
견학하고 나서
キョナカゴ ナソ

～なので休みましょう

疲れたので休みましょう。
피곤하니까 쉽시다.
ピゴナニッカ シプシダ.

体調が悪いので休みましょう。
몸이 안 좋으니까 쉽시다.
モミ アンジョウニカ シプシダ.

時間があるので休みましょう。
시간이 있으니까 쉽시다.
シガニ　イッスニッカ　シプシダ.

お茶しましょう／一杯やりましょう

お茶しましょう。
차 한잔해요.
チャ　ハンジャネヨ.

一杯やりましょう。
한잔해요.
ハンジャネヨ.

屋台に行きましょう。
포장마차에 가요.
ポジャンマチャエ　カヨ.

乾杯！

乾杯！
건배!
コンベ!

乾杯！（直訳：〜のために！）
위하여!
ウィハヨ!

とことん飲もう。（直訳：食べて死のう。）
먹고 죽자.
モッコ　チュクチャ.

割り勘にしましょう。
더치페이해요.
トチ　ペイヘヨ.

もう一軒行きましょう。（もう一杯しましょう。）
한 잔 더 하자.
ハンジャン　ト　ハジャ.

約束をする

会いましょう① *만나다 マンナダ (会う) を使った言い方

会いましょう。	会いましょうか？
만납시다.	만날까요?
マンナプシダ.	マンナルッカヨ？

➡ 入れ替えて使おう

明日	会いましょう。
내일	만납시다.
ネイル	マンナプシダ.

今日	また
오늘	또
オヌル	ト

お昼に	夜に
점심에	밤에
チョンシメ	パメ

5時に	7時に
다섯 시에	일곱 시에
タソッシエ	イルゴッシエ

明洞で	東大門で
명동에서	동대문에서
ミョンドンエソ	トンデムネソ

三清洞で	日本で
삼청동에서	일본에서
サンチョンドンエソ	イルボネソ

友だち編

会いましょう② *보다 ポダ（見る）を使った言い方

会いましょう。	会いましょうか？
봅시다.	볼까요?
ポプシダ.	ポルッカヨ？

明日会いましょう。	また会いましょう。
내일 봅시다.	또 봅시다.
ネイル ポプシダ.	ト ポプシダ.

会いたいです。	会いたかったです。
보고 싶어요.	보고 싶었어요.
ポゴシポヨ.	ポゴシポッソヨ.

*左ページの만나다と同じように入れ替えができる

column

「만나다 マンナダ」は「会う」という意味ですが、どちらかというと仕事などの用事や理由があって会う場合に使うことが多いです。一方、「보다 ポダ」はもともとは「見る」という意味なので、「顔を見る」意味を含んでおり、「会いたい」気持ちがあるときに使う言葉です。

パンマル くだけた言い方

会おう！	明日会おう！	また会おう！
보자!	내일 보자!	또 보자!
ポジャ！	ネイルポジャ！	トポジャ！

会いたいよ！	(独り言)会いたい。	会いたいでしょ？
보고 싶어!	보고 싶다.	보고 싶지?
ポゴシポ！	ポゴシプタ.	ポゴシプチ？

177

どこに住んでいますか？

どこに住んでいますか？

どこに住んでいますか？
어디에 살아요?
オディエ サラヨ？

東京
도쿄
トキョ

に住んでいます。
에 살아요.
エ サラヨ．

出身はどこですか？

出身はどこですか？
출신은 어디예요?
チュルシヌン オディエヨ？

横浜
요코하마
ヨコハマ

出身です。
출신이에요.
チュルシニエヨ．

どこから来ましたか？

どこから来ましたか？
어디에서 왔어요?
オディエソ ワッソヨ？

京都
교토
キョト

から来ました。
에서 왔어요.
エソ ワッソヨ．

➡ **入れ替えて使おう**

大阪	神戸
오사카	고베
オサカ	コベ

名古屋	福岡
나고야	후쿠오카
ナゴヤ	フクオカ

札幌	埼玉
삿포로	사이타마
サッポロ	サイタマ

千葉	神奈川
치바	카나가와
チバ	カナガワ

ソウル	釜山
서울	부산
ソウル	プサン

全州	仁川
전주	인천
チョンジュ	インチョン

安東	慶州
안동	경주
アンドン	キョンジュ

春川	大邱
춘천	대구
チュンチョン	テグ

相手の年齢を聞く

何歳ですか？

何歳ですか？
몇 살이에요?
ミョッサリエヨ？

何歳でいらっしゃいますか？
나이가 어떻게 되세요?
ナイガ オットケ デセヨ？

（相手がお年寄りの場合）
お年はおいくつでいらっしゃいますか？
연세가 어떻게 되세요?
ヨンセガ オットケ デセヨ？

答え方

○○歳です。
○○살이에요.
○○サリエヨ.

> 年齢を言うときの数字は90-93ページ

ほかの答え方

（西暦で言う）
○○年生まれ
○○년생
○○ニョンセン

（西暦で言う）
○○年に入学
○○학번
○○ハッポン

> この場合の数字は67ページ

年齢を聞かれたときに西暦で答えたり、大学に入学した年を聞かれたりすることもあります。そのような場合は、67ページにある数字を使って言います。そのまま数字を指でさして伝えてもいいですし、そのカタカナを続けて読んで言うこともできます。日本と同じく下二桁だけを言う場合もあります。

友だち編

column

韓国では初対面で年齢を聞くことがよくあります。それは相手が自分より年下か年上かによって、言葉遣いなどが変わってくるためです。韓国では年齢は数えで言うので、生まれた年や大学に入学した年を西暦で言って年齢を正確に確認しあうことがあります。もし韓国人に年齢を聞かれても、嫌な気持ちにならないでください。

ていねい語／ぞんざいな話し方

ていねい語	ぞんざいな話し方
존댓말 チョンデンマル	반말 パンマル

もうていねいな言葉はお互いやめましょう。
이제 우리 서로 말 놓아요.
イジェ ウリ ソロ マル ノアヨ.

（年上の人に対して）
ていねいな言葉は使わないでください。
말씀 놓으세요.
マルスム ノウセヨ.

（年下に対して）
ぞんざいな話し方は失礼だからやめなさい。
반말하지 말고 존댓말 써.
パンマルハジ マルゴ チョンデンマル ソ.

くだけた言い方

何歳？	何歳なの？	ため口で話そう。
몇 살이야? ミョッサリヤ？	몇 살이니? ミョッサリニ？	말 놓자. マルノーチャ.

家族について聞く

➡ 入れ替えて使おう

| 家族は
가족이
カジョギ | 何人いますか？
몇 명이에요?
ミョンミョンイエヨ? |

| 兄弟は
형제는
ヒョンジェヌン | お子さんは
아이는
アイヌン |

| お孫さんは
손자, 손녀는
ソンジャ、ソンニョヌン |

返事例

○人です。
○명이에요.
○ミョンイエヨ.

（人数は100ページ）

夫婦

夫婦	夫	妻
부부	남편	아내
ププ	ナンピョン	アネ

妻の実家	夫の実家	子ども
처가	시댁	자녀
チョガ	シデク	チャニョ

182

家族・親族

父	母	両親
아버지	어머니	부모
アボジ	オモニ	プモ

息子	娘	姑
아들	딸	시어머니
アドゥル	タル	シオモニ

舅	嫁	婿
시아버지	며느리	사위
シアボジ	ミョヌリ	サウィ

孫 (男)	孫 (女)	末っ子
손자	손녀	막내
ソンジャ	ソンニョ	マンネ

長男	次男	三男
장남	차남	셋째 아들
チャンナム	チャナム	セッチェアドゥル

長女	次女	三女
장녀	차녀	셋째 딸
チャンニョ	チャニョ	セッチェッタル

兄弟	姉妹	兄妹／姉弟
형제	자매	오누이
ヒョンジェ	チャメ	オヌイ

双子	親戚	いとこ
쌍둥이	친척	사촌
サントゥンイ	チンチョク	サチョン

家族・親族の呼び方①

日本語と違い、父方の親族か、母方の親族か、父の兄か、父の弟か、などで言い方がいろいろあります。

祖父・祖母

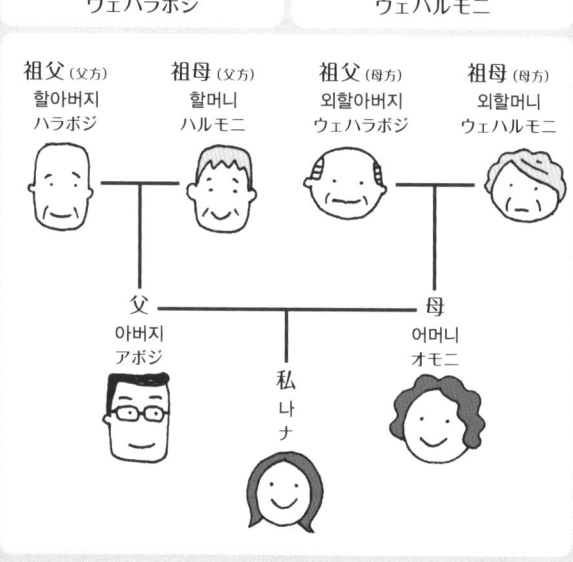

祖父 (父方)
할아버지
ハラボジ

祖母 (父方)
할머니
ハルモニ

祖父 (母方)
외할아버지
ウェハラボジ

祖母 (母方)
외할머니
ウェハルモニ

祖父 (父方)
할아버지
ハラボジ

祖母 (父方)
할머니
ハルモニ

祖父 (母方)
외할아버지
ウェハラボジ

祖母 (母方)
외할머니
ウェハルモニ

父
아버지
アボジ

母
어머니
オモニ

私
나
ナ

184

おじ・おば

父の姉妹	父の兄	父の弟
고모 コモ	큰아버지 クナボジ	삼촌 サムチョン

母の姉妹	母の兄弟
이모 イモ	외삼촌 ウェサムチョン

- 父の姉妹 고모 コモ
- 父の弟 삼촌 サムチョン
- 父の兄 큰아버지 クナボジ
- 母の姉妹 이모 イモ
- 母の兄弟 외삼촌 ウェサムチョン
- 父 아버지 アボジ
- 母 어머니 オモニ
- 私 나 ナ

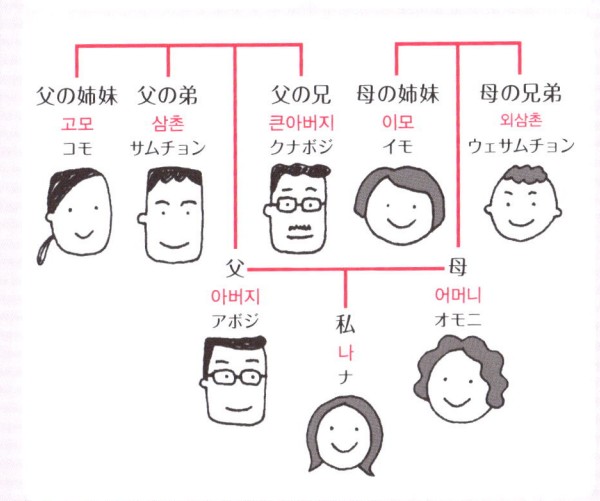

column

成人男性で、自分と血縁のない人のことを言う「おじさん」は、「아저씨　アジョッシ」です。「아저씨　アジョッシ」は、日本語に訳すと「おじさん」になりますが、日本語より、もう少し広い範囲の意味を持っていると思います。親しみが含まれているので、韓国人の男性は若くても「아저씨　アジョッシ」と呼ばれることを悪く思いません。運転手やお店の人に親しみを込めて使ってみてください。

185

家族・親族の呼び方②

日本語と違い、自分が女性か男性かで、「お兄さん」「お姉さん」の呼び方が変わります。

きょうだい（自分が女性の場合）

兄 (女性から見た) 오빠 オッパ	姉 (女性から見た) 언니 オンニ
弟 남동생 ナムドンセン	妹 여동생 ヨドンセン

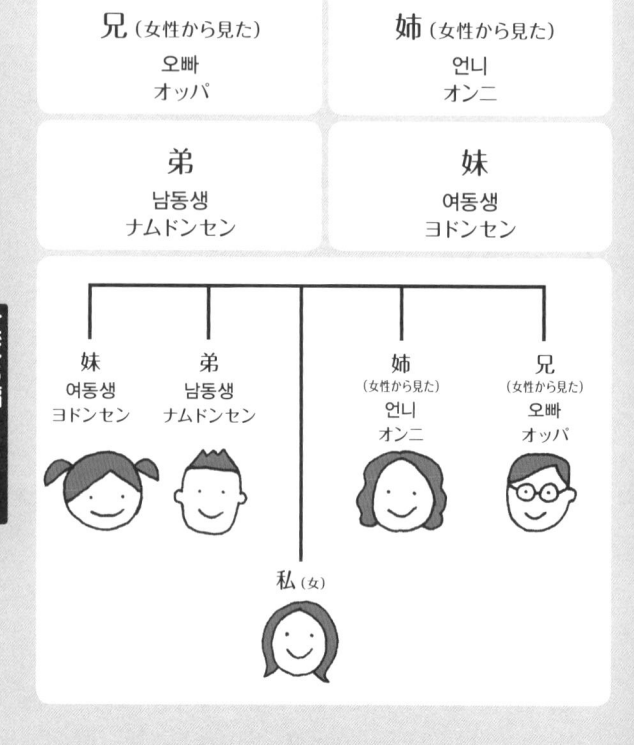

妹
여동생
ヨドンセン

弟
남동생
ナムドンセン

姉 (女性から見た)
언니
オンニ

兄 (女性から見た)
오빠
オッパ

私 (女)

きょうだい（自分が男性の場合）

兄 (男性から見た)	姉 (男性から見た)
형 ヒョン	누나 ヌナ

弟	妹
남동생 ナムドンセン	여동생 ヨドンセン

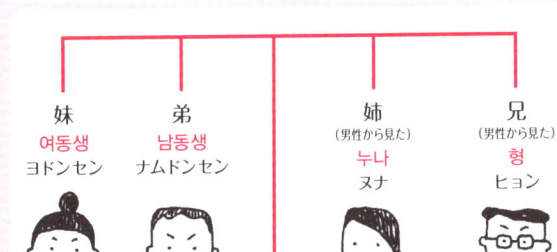

- 妹　여동생　ヨドンセン
- 弟　남동생　ナムドンセン
- 姉 (男性から見た)　누나　ヌナ
- 兄 (男性から見た)　형　ヒョン

私 (男)

column

韓国では、特別に仲のよい年上の人のことを「お兄さん」「お姉さん」と呼びます。彼氏のことを「오빠　オッパ（お兄さん）」と呼ぶこともよくあります。実のお兄さん、お姉さんかわからなくなることも考えられますが、はっきりさせたいときは、「우리 오빠　ウリ オッパ（うちのお兄さん）」「우리 언니　ウリ オンニ（うちのお姉さん）」と呼びます。

友だちになる

友だちになってください

友だちに なってください。
친구가 돼 주세요.
チングガ デジュセヨ.

友だちに なりたいです。
친구가 되고 싶어요.
チングガ デゴ シポヨ.

➡ 入れ替えて使おう

メル友に
메일 친구가
メイル チングガ

飲み友だちに
술 친구가
スル チングガ

(女性が)
お姉さんに
언니가
オンニガ

(男性が)
お姉さんに
누나가
ヌナガ

(女性が)
お兄さんに
오빠가
オッパガ

(男性が)
お兄さんに
형이
ヒョンイ

韓国語を教えてください

韓国語を教えてください。
한국어를 가르쳐 주세요.
ハングゴル カルチョ ジュセヨ.

~を教えてください

電話番号を
전화 번호를
チョナ ボヌル

教えてください。
가르쳐 주세요.
カルチョ ジュセヨ.

➡ 入れ替えて使おう

メールアドレス		住所
메일 주소		주소
メイル ジュソ		チュソ

会社名		家族のこと
회사 이름		가족에 대해서
フェサイルム		カジョゲ テヘソ

彼氏のこと		彼女のこと
남자 친구에 대해서		여자 친구에 대해서
ナンジャチングエ テヘソ		ヨジャチングエ テヘソ

年上の友だちの呼び方

（女性が使う言い方）
お兄さん
오빠
オッパ

（男性が使う言い方）
お兄さん
형
ヒョン

（女性が使う言い方）
お姉さん
언니
オンニ

（男性が使う言い方）
お姉さん
누나
ヌナ

先輩・後輩など

先輩
선배
ソンベ

後輩
후배
フベ

（若い子に対して）
学生
학생
ハクセン

今の気持ちを聞く

楽しいですか？

楽しいですか？ 즐거워요? チュルゴオヨ?	(より、ていねいな言い方) 楽しいですか？ 즐겁습니까? チュルゴプスムニッカ?
楽しいです。 즐거워요. チュルゴオヨ.	楽しくありません。 안 즐거워요. アン ジュルゴオヨ.

うれしいですか？

うれしいですか？ 기뻐요? キッポヨ?	(より、ていねいな言い方) うれしいですか？ 기쁩니까? キップムニッカ?
うれしいです。 기뻐요. キッポヨ.	うれしくありません。 안 기뻐요. アン ギッポヨ.

おもしろいですか？

おもしろいですか？ 재미있어요? チェミイッソヨ?	(より、ていねいな言い方) おもしろいですか？ 재미있습니까? チェミイッスムニッカ?
おもしろいです。 재미있어요. チェミイッソヨ.	おもしろくありません。 재미없어요. チェミオプソヨ.

友だち編

気分がいいですか？

気分がいいですか？
기분 좋아요?
キブン チョアヨ?

（より、ていねいな言い方）
気分がいいですか？
기분 좋습니까?
キブン チョッスムニッカ?

気分がいいです。
기분 좋아요.
キブン チョアヨ.

気分が悪いです。
기분 나빠요.
キブン ナッパヨ.

悲しいですか？

悲しいですか？
슬퍼요?
スルポヨ?

（より、ていねいな言い方）
悲しいですか？
슬픕니까?
スルプムニッカ?

悲しいです。
슬퍼요.
スルポヨ.

悲しくありません。
안 슬퍼요.
アン スルポヨ.

怒っていますか？

怒っていますか？
화났어요?
ファナッソヨ?

（より、ていねいな言い方）
怒っていますか？
화났습니까?
ファナッスムニッカ?

怒っています。
화났어요.
ファナッソヨ.

怒っていません。
화 안 났어요.
ファ アンナッソヨ.

秘密です

秘密です。／内緒です。
비밀이에요.
ピミリエヨ.

ちょっとひと息 6

友だち同士の距離感

とにかく連絡を取る人たち

　日韓のドラマを比較すると、韓国ドラマでは圧倒的に電話のシーンが多いと思いませんか？　実際の韓国の生活でも電話は欠かせないツールで、恋人同士や家族はもちろん、友だち同士でも、とにかくまめに連絡を取り合います。メールの返信もとても速く、返事が遅れると「なんで返事がないの？」と催促のメールがくることもあります。仕事中は携帯を使えない日本にいた当時の私は「返事が遅い人」になってしまいました。でも日本のペースに慣れている私は、頻繁に連絡するのも大変だと思うことがあります。

おひとりさまはかわいそう

　韓国に帰ったとき、友人からいつものように電話がありました。「今どこ？　何してるの？」と質問攻めにあい、「ひとりで食事をしている」と言うと「なんでひとりなの？　今からそこに行くから！」と言われました。韓国では、ひとりで食事をする人はかなりかわいそうな人と思われます。私は別に来てもらわなくても大丈夫なのに、相手は押しかけてきます。

オレオレ詐欺

　このようにまめに連絡を取って相手の声をしょっちゅう聞いているので、「日本のような電話のオレオレ詐欺の被害はありえない」と笑い話のように言われます。確かに事故や事件に遭ったと聞けば、お金を振り込む前に本人のところに駆けつけるのが韓国人です。

友だち編

第7章
これだけフレーズ
行動編

「食べます」「買います」「帰ります」など、
行動を表現するフレーズを集めました。
「食べました」「食べたいです」といった活用形も
紹介しているので、自分のしたいことを伝えてみてください。
また、「頭が痛いです」など、体調を伝えるフレーズも
掲載しています。

朝起きてから寝るまで

起きます

起きます。
일어나요.
イロナヨ.

起きました。
일어났어요.
イロナッソヨ.

歯を磨きます。
이를 닦아요.
イル タッカヨ.

歯を磨きました。
이를 닦았어요.
イル タッカッソヨ.

顔を洗います。
얼굴을 씻어요.
オルグル ッシソヨ.

顔を洗いました。
얼굴을 씻었어요.
オルグル ッシソッソヨ.

着替えます。
갈아입어요.
カライボヨ.

着替えました。
갈아입었어요.
カライボッソヨ.

お化粧をします。
화장을 해요.
ファジャンウル ヘヨ.

お化粧をしました。
화장을 했어요.
ファジャンウル ヘッソヨ.

ひげを剃ります。
수염을 깎아요.
スヨムル カッカヨ.

ひげを剃りました。
수염을 깎았어요.
スヨムル カッカッソヨ.

テレビを見ます。
텔레비전을 봐요.
テレビジョヌル バヨ.

テレビを見ました。
텔레비전을 봤어요.
テレビジョヌル バッソヨ.

行動編

学校に行きます。
학교에 가요.
ハッキョエ カヨ.

学校に行きました。
학교에 갔어요.
ハッキョエ カッソヨ.

仕事に行きます。
일하러 가요.
イラロ カヨ.

仕事に行きました。
일하러 갔어요.
イラロ カッソヨ.

歩きます。
걸어요.
コロヨ.

歩きました。
걸었어요.
コロッソヨ.

走ります。
뛰어요.
ティオヨ.

走りました。
뛰었어요.
ティオッソヨ.

お風呂に入ります。
목욕을 해요.
モギョグル ヘヨ.

お風呂に入りました。
목욕을 했어요.
モギョグル ヘッソヨ.

寝ます。
자요.
チャヨ.

寝ました。
잤어요.
チャッソヨ.

電話をします

電話をします。
전화를 해요.
チョナル ヘヨ.

電話をしました。
전화를 했어요.
チョナル ヘッソヨ.

メールをします。
메일을 해요.
メイル ヘヨ.

メールをしました。
메일을 했어요.
メイル ヘッソヨ.

食べます／飲みます

食べます

食べます。
먹어요.
モゴヨ.

食べました。
먹었어요.
モゴッソヨ.

食べたいです。
먹고 싶어요.
モッコシポヨ.

食べたくありません。
안 먹고 싶어요.
アンモッコ シポヨ.

食べたことがあります。
먹은 적이 있어요.
モグン ジョギ イッソヨ.

食べたことがありません。
먹은 적이 없어요.
モグン ジョギ オプソヨ.

食べるつもりです。
먹을 거예요.
モグルコエヨ.

飲みます

飲みます。
마셔요.
マショヨ.

飲みました。
마셨어요.
マショッソヨ.

飲みたいです。
마시고 싶어요.
マシゴシポヨ.

飲みたくありません。
안 마시고 싶어요.
アンマシゴ シポヨ.

飲んだことがあります。
마신 적이 있어요.
マシン ジョギ イッソヨ.

飲んだことがありません。
마신 적이 없어요.
マシン ジョギ オプソヨ.

パンマル くだけた言い方

食べよう！	食べたよ！	食べたい！	食べたくない！
먹자!	먹었어!	먹고 싶어!	안 먹고 싶어!
モクチャ！	モゴッソ！	モッコシポ！	アンモッコ シッポ！

➡ 入れ替えて使おう

ビビンバを	食べます。
비빔밥을	먹어요.
ビビンバブル	モゴヨ.

スンデを	食べたことがありますか？
순대를	먹은 적이 있어요?
スンデル	モグン ジョギ イッソヨ？

コーヒーを	飲みたいですか？
커피를	마시고 싶어요?
コピル	マシゴシポヨ？

カルビを	冷麺を	サムギョプサルを
갈비를	냉면을	삼겹살을
カルビル	ネンミョヌル	サムギョプサル

プデチゲを	トッポッキを	ホットックを
부대찌개를	떡볶이를	호떡을
プデチゲル	トッポッキル	ホットグル

ビールを	マッコリを	焼酎を
맥주를	막걸리를	소주를
メクチュル	マッコルリル	ソジュル

197

行きます／来ます

行きます

行きます。
가요.
カヨ.

行きました。
갔어요.
カッソヨ.

行きたいです。
가고 싶어요.
カゴシポヨ.

行きたくありません。
안 가고 싶어요.
アン カゴシポヨ.

行ったことがあります。
간 적이 있어요.
カンジョギ イッソヨ.

行ったことがありません。
간 적이 없어요.
カンジョギ オプソヨ.

行くつもりです。
갈 거예요.
カルコエヨ.

来ます

来ます。
와요.
ワヨ.

来ました。
왔어요.
ワッソヨ.

来たいです。
오고 싶어요.
オゴシポヨ.

来たくありません。
안 오고 싶어요.
アノゴシポヨ.

来たことがあります。
온 적이 있어요.
オンジョギ イッソヨ.

来たことがありません。
온 적이 없어요.
オンジョギ オプソヨ.

➡ 入れ替えて使おう　*現在形で現在も未来も言える

明日	行きます。
내일 ネイル	가요. カヨ.

来年	また来ます。
내년에 ネニョネ	또 올게요. ト オルケヨ.

今日
오늘 オヌル

今夜
오늘 밤에 オヌルパメ

3時に
세 시에 セシエ

カロスギルに
가로수길에 カロスギレ

徳寿宮に
덕수궁에 トクスグンエ

免税店に
면세점에 ミョンセジョメ

➡ 入れ替えて使おう

昨日	行きました。
어제 オジェ	갔어요. カッソヨ.

前回	来ました。
전번에 チョンボネ	왔어요. ワッソヨ.

昨晩
어젯밤에 オジェッパメ

去年
작년에 チャンニョネ

仁寺洞に
인사동에 インサドンエ

パンマル くだけた言い方

行こう！	行ったよ！	行きたい！	行きたくない！
가자! カジャ!	갔어! カッソ!	가고 싶어! カゴシポ!	안 가고 싶어! アンカゴシポ!

また来よう！	来たよ！	来たことある！
또 오자! ト オジャ!	왔어! ワッソ!	온 적이 있어! オンジョギ イッソ!

199

帰ります／帰ってきます

帰ります

帰ります。
돌아가요.
トラガヨ.

帰りました。
돌아갔어요.
トラガッソヨ.

帰りたいです。
돌아가고 싶어요.
トラガゴシポヨ.

帰りたくありません。
안 돌아가고 싶어요.
アントラガゴ シポヨ.

帰ってください。
돌아가세요.
トラガセヨ.

帰らないでください。
돌아가지 마세요.
トラガジ マセヨ.

帰ってきます

帰ってきます。
돌아와요.
トラワヨ.

帰ってきました。
돌아왔어요.
トラワッソヨ.

帰ってきたいです。
돌아오고 싶어요.
トラオゴシポヨ.

帰ってきたくありません。
안 돌아오고 싶어요.
アン トラオゴシポヨ.

帰ってきてください。
돌아오세요.
トラオセヨ.

帰ってこないでください。
돌아오지 마세요.
トラオジ マセヨ.

帰ってくるつもりです。
돌아올 거예요.
トラオルコエヨ.

パンマル / くだけた言い方

帰ろう！	帰ったよ！	帰ってきて！	帰ってきたよ！
돌아가자!	돌아갔어!	돌아와!	돌아왔어!
トラガジャ！	トラガッソ！	トラワ！	トラワッソ！

これから帰ります

これから帰ります。
이제부터 돌아갈 거예요.
イジェプト　トラガル　コエヨ.

疲れているので早く帰りたいです。
피곤해서 일찍 돌아가고 싶어요.
ピゴネソ　イルチッ　トラガゴシポヨ.

楽しくて帰りたくありません。
즐거워서 안 돌아가고 싶어요.
チュルゴオソ　アントラガゴ　シポヨ.

明日帰るつもりです。
내일 돌아갈 거예요.
ネイル　トラガル　コエヨ.

昨日帰ってきました。
어제 돌아왔어요.
オジェ　トラワッソヨ.

あさってソウルに帰ってくるつもりです。
모레 서울에 돌아올 거예요.
モレ　ソウレ　トラオル　コエヨ.

疲れます／大変です

疲れます

疲れます。
피곤해요.
ピゴネヨ.

疲れました。
피곤했어요.
ピゴネッソヨ.

疲れたみたいです。
피곤한 것 같아요.
ピゴナンゴッ カタヨ.

疲れましたか？
피곤했어요?
ピゴネッソヨ?

疲れません。
안 피곤해요.
アン ピゴネヨ.

疲れませんでした。
안 피곤했어요.
アン ピゴネッソヨ.

疲れそうです。
피곤하겠어요.
ピゴナゲッソヨ.

大変です

大変です。
힘들어요.
ヒムドゥロヨ.

大変でした。
힘들었어요.
ヒムドゥロッソヨ.

大変みたいです。
힘든 것 같아요.
ヒムドゥンゴッ カタヨ.

大変ですか？
힘들어요?
ヒムドゥロヨ?

大変ではありません。
안 힘들어요.
アン ヒムドゥロヨ.

大変ではなかったです。
안 힘들었어요.
アン ヒムドゥロッソヨ.

パンマル / くだけた言い方

疲れる！	疲れた！	大変だ！	大変みたい！
피곤해!	피곤해!	힘들어!	힘든 것 같아!
ピゴネ！	ピゴネ！	ヒムドゥロ！	ヒムドゥンゴッカッタ！

今日は疲れました

今日は疲れました。
오늘은 피곤했어요.
オヌルン ピゴネッソヨ.

歩いてばかりで疲れました。
걷기만 해서 피곤했어요.
コッキマン ヘソ ピゴネッソヨ.

たくさん歩くので疲れそうです。
많이 걸으니까 피곤하겠어요.
マニ コルニッカ ピゴナゲッソヨ.

楽しくて全然疲れません。
즐거워서 전혀 안 피곤해요.
チュルゴウォソ チョニョ アン ピゴネヨ.

仕事が忙しくて大変です。
일이 바빠서 힘들어요.
イリ パッパソ ヒムドゥロヨ.

昨日は大雨で大変でした。
어제는 폭우로 힘들었어요.
オジェヌン ポグロ ヒムドゥロッソヨ.

乗ります／降ります

乗ります

乗ります。
타요.
タヨ.

乗りました。
탔어요.
タッソヨ.

乗りたいです。
타고 싶어요.
タゴシポヨ.

乗りたくありません。
안 타고 싶어요.
アンタゴシポヨ.

乗ってください。
타세요.
タセヨ.

乗らないでください。
타지 마세요.
タジ マセヨ.

乗るつもりです。
탈 거예요.
タルコエヨ.

降ります

降ります。
내려요.
ネリョヨ.

降りました。
내렸어요.
ネリョッソヨ.

降りたいです。
내리고 싶어요.
ネリゴシポヨ.

降りたくありません。
안 내리고 싶어요.
アン ネリゴシポヨ.

降りてください。
내리세요.
ネリセヨ.

降りないでください。
내리지 마세요.
ネリジ マセヨ.

パンマル くだけた言い方

乗ろう!	乗ったよ。	降りよう。	降りたよ。
타자!	탔어.	내리자.	내렸어.
タジャ!	タッソ.	ネリジャ.	ネリョッソ.

飛行機に乗ります

これから飛行機に乗ります。
이제부터 비행기를 타요.
イジェブト　ピヘンギル　タヨ.

初めて空港鉄道に乗りました。
처음 공항 철도를 탔어요.
チョウム　コンハンチョルトル　タッソヨ.

今度、KTXに乗りたいです。
다음에 KTX를 타고 싶어요.
タウメ　ケイティエクスル　タゴシポヨ.

全州まで高速バスに乗るつもりです。
전주까지 고속버스를 탈 거예요.
チョンジュッカジ　コソッポスル　タルコエヨ.

次の駅で降ります。
다음 역에서 내려요.
タウムニョゲソ　ネリョヨ.

ソウル駅で降りました。
서울역에서 내렸어요.
ソウルリョゲソ　ネリョッソヨ.

歩きます／走ります

歩きます

歩きます。
걸어요.
コロヨ.

歩きました。
걸었어요.
コロッソヨ.

歩きたいです。
걷고 싶어요.
コッコ シポヨ.

歩きたくありません。
안 걷고 싶어요.
アンコッコ シポヨ.

歩きますか？
걸어요?
コロヨ?

歩いてください。
걸으세요.
コルセヨ.

歩くつもりです。
걸을 거예요.
コルコエヨ.

走ります

走ります。
뛰어요.
ティオヨ.

走りました。
뛰었어요.
ティオッソヨ.

走りたいです。
뛰고 싶어요.
ティゴシポヨ.

走りたくありません。
안 뛰고 싶어요.
アンティゴシポヨ.

走りますか？
뛰어요?
ティオヨ?

走ってください。
뛰세요.
ティセヨ.

くだけた言い方

歩こう！	歩いたよ。	走ろう！	走ったよ。
걷자!	걸었어.	뛰자!	뛰었어.
コッチャ！	コロッソ.	ティジャ！	ティオッソ.

三清洞まで歩きます

三清洞まで歩きます。
삼청동까지 걸어요.
サンチョンドンッカジ コロヨ.

Nソウルタワーまで歩きました。
엔서울타워까지 걸었어요.
エンソウルタウォッカジ コロッソヨ.

お天気がいいので歩きたいです。
날씨가 좋아서 걷고 싶어요.
ナルシガ チョアソ コッコシポヨ.

疲れたので歩きたくありません。
피곤해서 안 걷고 싶어요.
ピゴネソ アンコッコ シポヨ.

急いでいるので走ります。
급해서 뛰어요.
クペソ ティオヨ.

たくさん走りました。
많이 뛰었어요.
マニ ティオッソヨ.

急ぎます／ゆっくりします

急ぎます

急ぎます。
서둘러요.
ソドゥルロヨ.

急ぎました。
서둘렀어요.
ソドゥルロッソヨ.

急ぎましょう。
서두릅시다.
ソドゥルプシダ.

急ぎたくありません。
서두르고 싶지 않아요.
ソドゥルゴ シプジ アナヨ.

急ぎません。
안 서둘러요.
アン ソドゥルロヨ.

急いでください。
서두르세요.
ソドゥルセヨ.

急いで行くつもりです。
서둘러 갈 거예요.
ソドゥルロ カル コエヨ.

ゆっくりします

ゆっくりします。
천천히 해요.
チョンチョニヘヨ.

ゆっくりしました。
천천히 했어요.
チョンチョニヘッソヨ.

ゆっくりしたいです。
천천히 하고 싶어요.
チョンチョニハゴ シポヨ.

ゆっくりしましょう。
천천히 합시다.
チョンチョニ ハプシダ.

ゆっくりするつもりです。
천천히 할 거예요.
チョンチョニ ハル コエヨ.

ゆっくりしてください。
천천히 하세요.
チョンチョニ ハセヨ.

パンマル くだけた言い方

急ごう！	急いで！	ゆっくりして！
서두르자!	서둘러!	천천히 해!
ソドゥルジャ！	ソドゥルロ！	チョンチョニヘ！

駅まで急いで行きます

駅まで急いで行きます。
역까지 서둘러 가요.
ヨッカジ ソドゥルロ カヨ.

遅刻しそうなので急ぎました。
지각할 것 같아서 서둘렀어요.
チガカルコッ カタソ ソドゥルロッソヨ.

早く食べたいので急ぎましょう。
빨리 먹고 싶으니까 서두릅시다.
パルリ モッコシプニッカ ソドゥルプシダ.

今日はゆっくり休みます。
오늘은 천천히 쉬어요.
オヌルン チョンチョニ シオヨ.

景福宮をゆっくり見学しました。
경복궁을 천천히 구경했어요.
キョンボックンウル チョンチョニ クギョンヘッソヨ.

カフェでゆっくり休みたいです。
커피숍에서 천천히 쉬고 싶어요.
コピショベソ チョンチョニ シゴシポヨ.

買います／もらいます

買います

買います。
사요.
サヨ.

買いました。
샀어요.
サッソヨ.

買いたいです。
사고 싶어요.
サゴシポヨ.

買いたくありません。
안 사고 싶어요.
アン サゴシポヨ.

買ったことがあります。
산 적이 있어요.
サンジョギ イッソヨ.

買ったことがありません。
산 적이 없어요.
サンジョギ オプソヨ.

買うつもりです。
살 거예요.
サルコエヨ.

もらいます

もらいます。
받아요.　＊「受け取る」の意味もある
パダヨ.

もらいました。
받았어요.
パダッソヨ.

もらいたいです。
받고 싶어요.
パッコシポヨ.

もらいたくありません。
안 받고 싶어요.
アン パッコシポヨ.

もらったことがあります。
받은 적이 있어요.
パドゥンジョギ イッソヨ.

もらったことがありません。
받은 적이 없어요.
パドゥンジョギ オプソヨ.

➡ **入れ替えて使おう**

K-POPのCDを	買いました。
K-POP CD를	샀어요.
ケイパッ シディル	サッソヨ.

少し	お土産を	かわいいものを
조금	선물을	예쁜 걸로
チョグム	ソンムル	イェップンゴルロ

高いものを	安いものを	便利なものを
비싼 걸로	싼 걸로	편리한 걸로
ピッサンゴルロ	サンゴルロ	ピョルリハンゴルロ

➡ **入れ替えて使おう**

サンプルを	もらいました。
샘플을	받았어요.
セムプル	パダッソヨ.

たくさん	チケットを	プレゼントを
많이	티켓을	선물을
マニ	ティケスル	ソンムル

試食品を	メールを	気持ちを
시식품을	메일을	마음을
シシップムル	メイル	マウムル

パンマル くだけた言い方

買ったよ。	買いたい！	もらったよ。	もらいたい。
샀어.	사고 싶어!	받았어.	받고 싶어.
サッソ.	サゴシポ！	パダッソ.	パッコシポ.

痛いです／病気の症状

痛いです

痛いです。
아파요.
アパヨ.

(より、ていねいな言い方)
痛いです。
아픕니다.
アブムニダ.

➡ 入れ替えて使おう

頭が	痛いです。
머리가 モリガ	아파요. アパヨ.

おなかが	胃が	のどが
배가 ペガ	위가 ウィガ	목이 モギ

肩が	腰が	ひざが
어깨가 オッケガ	허리가 ホリガ	무릎이 ムルピ

目が	歯が	胸が
눈이 ヌニ	이가 イガ	가슴이 カスミ

おしりが	足が	脚が
엉덩이가 オンドンイガ	발이 パリ	다리가 タリガ

体が	節々が	耳が
몸이 モミ	뼈마디가 ピョマディガ	귀가 キガ

そのほかの病気の症状

風邪をひいたみたいです。
감기에 걸린 것 같아요.
カムギエ コルリンゴッ カタヨ.

熱があります。
열이 있어요.
ヨリ イッソヨ.

咳が出ます。
기침이 나와요.
キチミ ナワヨ.

くしゃみが出ます。
재채기가 나와요.
チェチェギガ ナワヨ.

鼻水が出ます。
콧물이 나와요.
コンムリ ナワヨ.

吐き気がします。
구역질이 나요.
クヨッチリ ナヨ.

息が苦しいです。
숨이 막혀요.
スミ マキョヨ.

めまいがします。
현기증이 나요.
ヒョンギチュンイ ナヨ.

貧血です。
빈혈이에요.
ピニョリエヨ.

乗り換えます

乗り換えます

乗り換えます。
갈아타요.
カラタヨ.

(より、ていねいな言い方)
乗り換えます。
갈아탑니다.
カラタムニダ.

➡ **入れ替えて使おう**

1号線に	乗り換えます。
일호선으로 イロソヌロ	갈아타요. カラタヨ.

2号線に	3号線に	4号線に
이호선으로 イホソヌロ	삼호선으로 サモソヌロ	사호선으로 サホソヌロ

5号線に	6号線に	7号線に
오호선으로 オホソヌロ	육호선으로 ユコソヌロ	칠호선으로 チロソヌロ

8号線に	9号線に	地下鉄に
팔호선으로 パロソヌロ	구호선으로 クホソヌロ	지하철로 チハチョルロ

バスに	タクシーに	空港鉄道に
버스로 ポスロ	택시로 テクシロ	공항철도로 コンハンチョルトロ

高速バスに	リムジンバスに	汽車に
고속버스로 コソッポスロ	리무진버스로 リムジンボスロ	기차로 キチャロ

行動編

1号線から2号線に
일호선에서 이호선으로
イロソネソ　イホソヌロ

2号線から3号線に
이호선에서 삼호선으로
イホソネソ　サモソヌロ

地下鉄からタクシーに
지하철에서 택시로
チハチョレソ　テクシロ

地下鉄からバスに
지하철에서 버스로
チハチョレソ　ボスロ

1回
한 번
ハンボン

2回
두 번
トゥボン

3回
세 번
セボン

どこで乗り換えますか？

どこで乗り換えますか？
어디서 갈아타요?
オディソ　カラタヨ？

5号線はどこですか？
오호선은 어디예요?
オホソヌン　オディエヨ？

乗り換えたほうがいいですか？
갈아타는 게 좋아요?
カラタヌンゲ　チョアヨ？

乗り換えなければなりませんか？
갈아타야 해요?
カラタヤ　ヘヨ？

鐘路に行きたいのですが、どこで乗り換えますか？
종로에 가고 싶은데요, 어디서 갈아탈 수 있어요?
チョンノエ　カゴシプンデヨ、オディソ　カラタルス　イッソヨ？

～したことがあります

行ったことが／したことが

行ったことがあります。
간 적이 있어요.
カンジョギ イッソヨ.

春川に行ったことがあります。
춘천에 간 적이 있어요.
チュンチョネ カンジョギ イッソヨ.

したことがあります。
한 적이 있어요.
ハンジョギ イッソヨ.

あかすりをしたことがあります。
때를 민적이 있어요.
テル ミンジョギ イッソヨ.

見たことが／乗ったことが

見たことがあります。
본 적이 있어요.
ポンジョギ イッソヨ.

韓国ドラマを見たことがあります。
한국 드라마를 본 적이 있어요.
ハングッ トゥラマル ポンジョギ イッソヨ.

乗ったことがあります。
탄 적이 있어요.
タンジョギ イッソヨ.

行動編

食べたことが／飲んだことが

食べたことがあります。
먹은 적이 있어요.
モグンジョギ イッソヨ.

コンナムルクッパを食べたことがあります。
콩나물 국밥을 먹은 적이 있어요.
コンナムルクッパブル モグンジョギ イッソヨ.

飲んだことがあります。
마신 적이 있어요.
マシンジョギ イッソヨ.

マッコリを飲んだことがあります。
막걸리를 마신 적이 있어요.
マッコルリル マシンジョギ イッソヨ.

作ったことが

作ったことがあります。
만든 적이 있어요.
マンドゥン ジョギ イッソヨ.

キムチチゲを作ったことがあります。
김치찌개를 만든 적이 있어요.
キムチチゲル マンドゥン ジョギ イッソヨ.

ポジャギを作ったことがあります。
보자기를 만든 적이 있어요.
ポジャギル マンドゥン ジョギ イッソヨ.

トッポッキを作ったことがあります。
떡볶이를 만든 적이 있어요.
トッポッキル マンドゥン ジョギ イッソヨ.

できます／〜することができます

できます

できます。
할 수 있어요.
ハルス イッソヨ.

(より、ていねいな言い方)
できます。
할 수 있습니다.
ハルス イッスムニダ.

➡ 入れ替えて使おう

英語が	できます。
영어를 ヨンオル	할 수 있어요. ハルスイッソヨ.

韓国語が	日本語が	中国語が
한국어를 ハングゴル	일본어를 イルボノル	중국어를 チュングゴル

水泳が	料理が	運転が
수영을 スヨンウル	요리를 ヨリル	운전을 ウンジョヌル

上手に	ひとりで	ふたりなら
잘 チャル	혼자서 ホンジャソ	둘이라면 トゥリラミョン

くだけた言い方 (パンマル)

できる！	できた！	あなたならできる！
할 수 있어! ハルスイッソ!	됐어! テッソ!	너라면 할 수 있어! ノラミョン ハルスイッソ!

～することができます

ひとりで行けます。
혼자서 갈 수 있어요.
ホンジャソ　カルス　イッソヨ.

明洞まで歩いて行けます。
명동까지 걸어갈 수 있어요.
ミョンドンカジ　コロカルス　イッソヨ.

字幕なしで見られます。
자막 없이 볼 수 있어요.
チャマゴプシ　ポルス　イッソヨ.

ハングルが読めます。
한글을 읽을 수 있어요.
ハングル　イルグルス　イッソヨ.

韓国語は少しだけ話せます。
한국어를 조금만 할 수 있어요.
ハングゴル　チョグンマン　ハルス　イッソヨ.

チヂミを作ることができます。
전을 만들 수 있어요.
チョヌル　マンドゥルス　イッソヨ.

すごく辛くても食べられます。
많이 매워도 먹을 수 있어요.
マニメウォド　モグルス　イッソヨ.

明日、3時に会えます。
내일 세 시에 만날 수 있어요.
ネイル　セシエ　マンナルス　イッソヨ.

できません／～することができません

できません①
「할 수 없어요. ハルス オプソヨ.」は、能力の有無も多少影響しますが、基本的には、周りの条件や状況が理由でできない場合に使います。たとえば、「お酒は飲めません（飲めるけれど好きではないので飲めない）」と言う場合などに使います。

できません。
할 수 없어요.
ハルス オプソヨ.

（より、ていねいな言い方）できません。
할 수 없습니다.
ハルス オプスムニダ.

韓国語ができません。
한국어를 할 수 없어요.
ハングゴル ハルス オプソヨ.

明日は行けません。
내일은 갈 수 없어요.
ネイルン カルス オプソヨ.

ハングルは読めません。
한글을 읽을 수 없어요.
ハングル イルグルス オプソヨ.

疲れていて、これ以上歩けません。
피곤해서 더 이상은 걸을 수 없어요.
ピゴネソ ト イサンウン コルス オプソヨ.

ニンニクが食べられません。
마늘을 먹을 수 없어요.
マヌル モグルス オプソヨ.

パンマル くだけた言い方

できない！	できないよ！	できない！
할 수 없어!	안 돼!	못 해!
ハルスオプソ！	アンデ！	モッテ！

できません②

「못 해요. モテヨ.」は、自分の意志や能力によってできないことを言います。たとえば、「お酒は飲めません（体がアルコールを受けつけずまったく飲めない）」と言う場合などに使います。

できません。
못 해요.
モテヨ.

明日は行けません。
내일은 못 가요.
ネイルン モッカヨ.

お酒は飲めません。
술은 못 마셔요.
スルン モンマショヨ.

疲れていて、これ以上歩けません。
피곤해서 더 이상은 못 걸어요.
ピゴネソ ト イサンウン モッコロヨ.

おなかいっぱいで、これ以上食べられません。
배가 불러서 더 이상은 못 먹어요.
ペガ プルロソ ト イサンウン モンモゴヨ.

お酒を飲んだので運転はできません。
술을 마셔서 운전은 못 해요.
スル マショソ ウンジョヌン モテヨ.

座ります／立ちます

座ります

座ります。
앉아요.
アンジャヨ.

座りました。
앉았어요.
アンジャッソヨ.

座りたいです。
앉고 싶어요.
アンコ シポヨ.

座りたくありません。
안 앉고 싶어요.
アナンコ シポヨ.

座ってください。
앉으세요.
アンジュセヨ.

座りましょう。
앉읍시다.
アンジュプシダ.

座れそうです。
앉을 수 있을 것 같아요.
アンジュルス イッスルコッ カタヨ.

立ちます

立ちます。 *「立ち上がる」
일어나요.　「起き上がる」
イロナヨ.　の意味もある

立ちました。
일어났어요.
イロナッソヨ.

立ちたいです。
일어나고 싶어요.
イロナゴシポヨ.

立ちたくありません。
안 일어나고 싶어요.
アニロナゴシポヨ.

立ってください。
일어나세요.
イロナセヨ.

立ちましょう。
일어납시다.
イロナプシダ.

行動編

パンマル くだけた言い方

座って!	座っていい?	座ろう!
앉아!	앉아도 돼?	앉자!
アンジャ!	アンジャド デ?	アンチャ!

ここに座ります

ここに座りましょう。
여기에 앉읍시다.
ヨギエ アンジュプシダ.

隣に座りたいです。
옆에 앉고 싶어요.
ヨペ アンコ シボヨ.

ここには座りたくありません。
여기에는 안 앉고 싶어요.
ヨギエヌン アナンコ シボヨ.

よい席に座れそうです。
좋은 자리에 앉을 수 있을 것 같아요.
チョウン チャリエ アンジュルス イッスルコッ カタヨ.

ライブで盛り上がったら立ちます。
라이브에서 분위기가 고조되면 일어나요.
ライブエソ プニギガ コジョデミョン イロナヨ.

お年寄りの方がいたので立ちました。
어르신이 계셔서 일어났어요.
オルシニ ケショソ イロナッソヨ.

ちょっとひと息 7

韓国人的な旅行の楽しみ方

準備万端で旅行にのぞむ日本人

　私の日本人の知り合いは、韓国旅行が決まると、まずはガイドブックやインターネットで調べ、さらに現地を知っている私にいろいろ聞いて準備万端で出かける人が多いと感じます。でも、私の周りの韓国人には、これほど旅行の準備をする人はあまりいません。

自由でのんびりした旅行を楽しむ韓国人

　韓国人は、計画どおりに実行する気があまりないというか、その日の気分や天気、体調によって、行動を決める人が多いようです。事前に予定を立てても、ポイントとして行きたい場所を決める程度で、ガイドブックも買わずに行くこともよくあります。もし運悪く雨に降られたら、無理に外出しないで室内でのんびり過ごします。

　旅行の目的が買い物の場合、行きたいお店が5軒あっても、3軒目で買いたいものがすべて買えたなら、あとの2軒は行きません。食事に関しても、「○○が食べたい」と思っても、わざわざ調べてまで行こうとするのは、かなり話題の店の場合くらいでしょう。

　もし、韓国人の友だちができて一緒に行動するときには、自分が行きたいところや食べたいものをしっかり伝えましょう。言わなければ、その日の流れで行くところが決まってしまうかもしれません。すべての韓国人がこうだとは言いませんが、私の周りではこういう人が多いので、そのつもりで接してみてください。

行動編

第 **8** 章
これだけフレーズ
こう言われたらこう返そう

「いらっしゃいませ」「ちょっと待ってください」など、
韓国の人から言われるフレーズを集めました。
「ちょっと待ってください」と言われたときの答え方、
「はい、わかりました」「時間がないので待てません」
などの応答例も紹介しています。
ここには、「助けてください」「警察呼んでください」など、
もしものときのフレーズも掲載しています。

お店で商品を見るとき

いらっしゃいませ

いらっしゃいませ。
어서 오세요.
オソ オセヨ.

(より、ていねいな言い方)
いらっしゃいませ。
어서 오십시오.
オソ オシプシオ.

商品を見ていたら

何かお探しですか？
뭐 찾으세요?
モ チャジュセヨ？

(返事：見ているだけの場合)
見ているだけです。
그냥 좀 볼게요.
クニャン チョム ポルケヨ.

(返事：欲しいものがある場合)
～ありますか？
～있어요?
～イッソヨ？

ほかの「ありますか？」は70-71、79、98-99ページ

鏡はこちらにあります。
거울은 이쪽에 있어요.
コウルン イチョゲ イッソヨ.

(返事)
こちらへどうぞ。
이쪽으로 오세요.
イッチョグロ オセヨ.

お似合いですよ。
잘 어울려요.
チャル オウリョヨ.

(返事)
そうですか？
정말이에요?
チョンマリエヨ？

感想を言うフレーズ

かわいい！
예쁘다!
イェップダ！

かっこいい！
멋있다!
モシッタ！

こう言われたら

226

かわいいですね。
예쁘네요.
イェップネヨ.

いいですね。
좋네요.
チョンネヨ.

感想を言う表現は76-77ページ

気に入りました。
마음에 들어요.
マウメ トゥロヨ.

まあまあです。
별로예요.
ピョロエヨ.

買おうかどうしようか悩んでいるとき

(ほかを) 見てきます。
보고 올게요.
ポゴ オルケヨ.

考えてます。
생각 좀 해 볼게요.
センガッ チョン ヘ ポルケヨ.

お店を出るとき

(お店の人がお客さんに言う)
かわいく着てください。
예쁘게 입으세요.
イェップゲ イブセヨ.

(返事)
はい。
네.
ネ.

会話例

A: いらっしゃいませ。何かお探しですか？
어서 오세요. 뭐 찾으세요?
オソ オセヨ. モ チャジュセヨ?

B: 見ているだけです。
그냥 좀 볼게요.
クニャン チョム ポルケヨ.

A: ゆっくりご覧ください。
천천히 둘러 보세요.
チョンチョニ トゥルロ ポセヨ.

「待って」と言われたとき

待ってください

ちょっとお待ちください。
잠시만 기다려 주세요.
チャンシマン キダリョ ジュセヨ.

少し待ってください。
잠깐만 기다려요.
チャンカンマン キダリョヨ.

ちょっと待ってください。
잠깐만요.
チャンカンマンニョ.

お客さん、ちょっと待ってください。
손님 잠시만 기다려 주세요.
ソンニム チャンシマン キダリョ ジュセヨ.

こちらでお待ちください。
이쪽에서 기다려 주세요.
イチョゲソ キダリョ ジュセヨ.

返事例(待つ場合)

はい、わかりました。
네, 알겠습니다.
ネ、アルゲッスムニダ.

はい、待ちます。
네, 기다릴게요.
ネ、キダリルケヨ.

待ちましょう。
기다립시다./기다리죠.
キダリプシダ./キダリジョ.

ここで待ちます。
여기서 기다릴게요.
ヨギソ キダリルケヨ.

待ってもいいですか？
기다려도 돼요?
キダリョド デヨ?

返事例（待てない場合）

待てません。
못 기다려요.
モッ キダリョヨ.

（より、ていねいな言い方）
待てません。
못 기다립니다.
モッ キダリムニダ.

時間がないので待てません。
시간이 없어서 못 기다려요.
シガニ オプソソ モッキダリョヨ.

急いでいます。早くしてください。
급해요. 빨리 좀 해 주세요.
クペヨ. パルリジョム ヘジュセヨ.

返事例（なぜ待つのかわからない場合）

なぜですか？
왜요?
ウェヨ?

待たなくてはいけませんか？
안 기다리면 안 돼요?
アン キダリミョン アンデヨ?

どこでもいいか聞くとき

どこでもいいですか？

どこでもいいですか？

어디라도 괜찮아요?
オディラド ケンチャナヨ？

（返事）どこでもいいです。

어디라도 괜찮아요.
オディラド ケンチャナヨ.

どこに座ってもいいですか？

どこに座ってもいいですか？

아무데나 앉아도 돼요?
アムデナ アンジャド デヨ？

席はどこでもいいですか？

자리는 어디라도 괜찮아요?
チャリヌン オディラド ケンチャナヨ？

どこに行ってもいいですか？

아무데나 가도 돼요?
アムデナ カド デヨ？

どこで見てもいいですか？

아무데서나 봐도 돼요?
アムデソナ パド デヨ？

どこから入ればいいですか？

어디로 들어가면 돼요?
オディロ トゥロガミョン デヨ？

こう言われたら

くだけた言い方

どこでもいい? 어디라도 괜찮아? オディラド ケンチャナ?	どこでもいいでしょ? 어디라도 괜찮지? オディラド ケンチャンチ?
何でもいい? 뭐든지 괜찮아? モドゥンジ ケンチャナ?	何でもいいでしょ? 뭐든지 괜찮지? モドゥンジ ケンチャンチ?

何でもいいですか?

何でもいいですか?
뭐든지 괜찮아요?
モドゥンジ ケンチャナヨ?

この中で何でもいいですか?
이 중에서 뭐든지 괜찮아요?
イ ジュンエソ モドゥンジ ケンチャナヨ?

返事例

何でもいいです。
뭐든지 괜찮아요.
モドゥンジ ケンチャナヨ.

何でもかまいません。
뭐든지 상관없어요.
モドゥンジ サンガンオプソヨ.

何でも好きなものを選んでください。
뭐든지 좋아하는 걸 고르세요.
モドゥンジ チョアハヌン ゴル コルセヨ.

レジで会計するとき

カード払いですか？

カード払いですか？
카드로 계산하실 거예요?
カドゥロ ケサナシルコエヨ？

カード払いは手数料5パーセントが付きます。
카드로 계산하면 수수료가 5퍼센트 붙어요.
カドゥロ ケサナミョン ススリョガ オポセントゥ プトヨ.

お支払いは円ですか？ ウォンですか？
엔으로 계산하실 거예요? 원으로 하실 거예요?
エヌロ ケサナシルコエヨ？ ウォヌロ ハシルコエヨ？

もう一度言ってください

もう一度言ってください。
다시 한번 말해 주세요.
タシハンボン マレジュセヨ.

もう一度ゆっくり言ってください。
다시 한번 천천히 말해 주세요.
タシハンボン チョンチョニ マレジュセヨ.

すみません。聞き取れません。
죄송해요. 못 알아들었어요.
チェソンヘヨ. モダラドゥロッソヨ.

指をさしてください。
손가락으로 가리켜 주세요.
ソンカラグロ カリキョ ジュセヨ.

こう言われたら

値段を言う数字は、67ページ

英語で言ってください。
영어로 말해 주세요.
ヨンオロ マレ ジュセヨ.

(メモを渡して)
ここに書いてください。
여기에 써 주세요.
ヨギエ ソ ジュセヨ.

(電卓を出して)
ここに打ってください。
여기에 입력해 주세요.
ヨギエ イムニョケ ジュセヨ.

金額が違います

金額が違います。
금액이 달라요.
クメギ タルラヨ.

お金が足りません。
돈이 모자라요.
トニ モジャラヨ.

column

買い物や食事の際の支払いは、食堂や市場などではカードが使えないところも多いので、現金を準備しておきましょう。デパートや免税店などでカード決済をする場合は、「ウォンか円か」を聞かれることがあります。「円で」とこたえると、その日のレートで換算され、「ウォンで」とこたえるとウォンで精算され、後日カード会社の決済日のレートで請求されます。

道を聞かれたとき

～に行きますか？

東大門に行きますか？
동대문에 가요?
トンデムネ カヨ？

ソウル駅は行きますか？
서울역은 가요?
ソウリョグン カヨ？

返事例

はい、行きます。
네, 가요.
ネ、カヨ.

いいえ、行きません。
아뇨, 안 가요.
アニョ、アンガヨ.

次の駅で乗り換えてください。
다음 역에서 갈아타세요.
タウム ヨゲソ カラタセヨ.

この電車は違います。
이 전철은 아니에요.
イ チョンチョルン アニエヨ.

それならあちらに行ってください。
그렇다면 저쪽으로 가세요.
クロタミョン チョチョグロ カセヨ.

わからないので、こちらの案内を見てください。
모르겠는데요, 여기 안내가 있으니까 한번 보세요.
モルゲンヌンデヨ、ヨギアンネガ イッスニッカ ハンボン ポセヨ.

～はどこですか？

郵便局はどこですか？
우체국은 어디예요?
ウチェググン オディエヨ？

この近くにバス停はありますか？
이 근처에 버스 정류장 있어요?
イ クンチョエ ボス ジョンニュジャン イッソヨ？

返事例

すみません。わかりません。
죄송해요. 모르겠어요.
チェソンヘヨ. モルゲッソヨ.

日本人なんです。わかりません。
일본 사람이에요. 몰라요.
イルボン サラミエヨ. モルラヨ.

(指をさして)
あちらにあります。
저기에 있어요.
チョギエ イッソヨ.

---

column

韓国に旅行した日本の人から「韓国で道を聞かれたけど、韓国人と思われたのかな？」とよく聞きます。韓国人は、知らない場所に行くときでも地図を準備せず、近くにいる人に聞くことが多いようです。ですから、相手が日本人だとか韓国人だとかあまり考えずに、ただ近くにいる人に聞いたのだと思います。

電車やバスに乗っているとき

降りますか？

降りますか？
내려요?
ネリョヨ?

(より、ていねいな言い方)
降りますか？
내립니까?
ネリムニッカ?

(返事)
はい、降ります。
네, 내려요.
ネ、ネリョヨ.

(返事)
いいえ、降りません。
아니요, 안 내려요.
アニヨ、アン ネリョヨ.

column

込み合った地下鉄やバスでドア付近に立っていると、次で降りる人から「내려요？ ネリョヨ?（降りますか?）」と、確認されることがよくあります。韓国では、降りる駅や停留所が近づくと皆、降りる準備を始めるからです。降りない場合はドア付近の場所は降りる人に譲ってあげてください。

席を譲るとき／譲られるとき

座ってもいいですか？
앉아도 돼요?
アンジャド デヨ?

(返事)
座ってください。
앉으세요.
アンジュセヨ.

(「座ってください」と言われたら)
はい。
네.
ネ.

(「座ってください」と言われたら)
いいえ、大丈夫です。
아니요, 괜찮아요.
アニヨ、ケンチャナヨ.

お年寄りが言うセリフ

学生さん、立ちなさい（席を譲りなさい）。
학생 일어나야지.
ハクセン イロナヤジ.

あ〜、足が。
아이고 다리야.
アイゴ タリヤ.

前に立つ人の荷物を持ってあげるとき

カバンください。
가방 주세요.
カバン ジュセヨ.

カバン持ちましょうか？
가방 들어 줄까요?
カバン トゥロ ジュルカヨ？

カバン持ってあげます。
가방 들어 줄게요.
カバン トゥロ ジュルケヨ.

column

韓国では、お年寄りには席を譲るのが常識です。若い人が席に座ったままでいると、近くの人に「若いのだから席を譲りなさい」と注意されたり、なかには「あ〜、足が（痛い）」と座りたいのをアピールするお年寄りもいます。また、席を譲られた人が、譲ってくれた人の荷物を持って膝の上に乗せてくれることも、よくあります。

237

ほめられたとき

お上手ですね

お上手ですね。
잘하시네요.
チャラシネヨ.

本当にお上手ですね。
정말 잘하시네요.
チョンマル チャラシネヨ.

韓国語がお上手ですね。
한국말 잘하시네요.
ハングンマル チャラシネヨ.

日本語がお上手ですね。
일본말 잘하시네요.
イルボンマル チャラシネヨ.

ほんとに上手です。
진짜 잘해요.
チンチャ チャレヨ.

そのほかのほめ言葉

発音がいいですね。
발음이 좋네요.
パルミ チョンネヨ.

韓国の食べ物を上手に食べますね。
한국 음식 잘 먹네요.
ハンググムシク チャル モンネヨ.

こう言われたら

パンマル くだけた言い方

上手！	ほんとうまいね！	上手でしょ？
잘한다!	진짜 잘한다!	잘하지?
チャランダ！	チンチャ チャランダ！	チャラジ？

返事例

ありがとうございます。
고맙습니다.
コマプスムニダ．

＊韓国人は素直に「ありがとうございます」と返事をします

本当ですか？
정말요?
チョンマルリョ？

いいえ。そんなことありません。
아니에요. 그렇지도 않아요.
アニエヨ．クロチド アナヨ．

いいえ。まだまだです。
아니에요. 아직 멀었어요.
アニエヨ．アジク モロッソヨ．

column

人にほめられたとき、韓国人は素直に「ありがとうございます」と言って喜びますが、日本人は「いいえ、そんなことはありません」と謙遜する人が多いのではないでしょうか？ もし韓国でほめられることがあったら、遠慮なく「고맙습니다．コマプスムニダ．（ありがとうございます）」とお礼を言いましょう。

239

相手をねぎらうとき

お疲れさまです

(相手が仕事中に出て行くとき)
お疲れさまです。
수고하세요.
スゴハセヨ.

(相手が仕事中に入って行くとき)
お疲れさまです。
수고 많으십니다.
スゴ マヌシムニダ.

(相手の仕事が終わったとき)
お疲れさまでした。
수고하셨습니다.
スゴハショッスムニダ.

(相手の仕事が終わったとき。より、ていねいな言い方)
大変お疲れさまでした。
수고 많이 하셨습니다.
スゴ マニ ハショッスムニダ.

こう言われたら

column

「수고하세요. スゴハセヨ.（お疲れさまです）」は、相手がそのあともまだ仕事を続けるときに使い、「수고하셨습니다. スゴハショッスムニダ.（お疲れさまでした）」は相手の仕事が終わったときに使います。たとえば、あかすりをしてもらったあと、お店の人はお客側に「スゴハショッスムニダ.」と言いますが、お店の人はまだ仕事を続けるのでお客側からは「スゴハセヨ.」と言います。

疲れましたね

疲れましたね。
피곤하네요.
ピゴナネヨ.

疲れたでしょう？　　疲れるでしょう？
힘드셨죠?　　　　　 힘드시죠?
ヒムドゥショッチョ？　ヒムドゥシジョ？

今日も一日お疲れさまでした。
오늘 하루도 수고하셨습니다.
オヌル ハルド スゴハショッスムニダ.

遠くからいらして疲れたでしょう。
멀리서 와서 피곤하죠.
モルリソ ワソ ピゴナジョ.

返事例

はい、疲れました。　いいえ、大丈夫です。
네, 피곤해요.　　　　아니요, 괜찮아요.
ネ、ピゴネヨ.　　　　アニヨ、ケンチャナヨ.

とても疲れました。
너무 피곤해요.
ノム ピゴネヨ.

いいえ、疲れていません。
아니요, 안 피곤해요.
アニヨ、アンピゴネヨ.

全然疲れていません。
전혀 안 피곤해요.
チョニョ アン ピゴネヨ.

あいさつされたとき

こんにちは

(朝昼晩いつでも使える)
こんにちは。
안녕하세요?
アンニョンハセヨ？

(返事)
こんにちは。
안녕하세요?
アンニョンハセヨ？

ご飯食べましたか？

ご飯食べましたか？
밥 먹었어요?
パン　モゴッソヨ？

(返事)
食べました。
먹었어요.
モゴッソヨ.

(返事)
まだです。
아직이에요.
アジギエヨ.

(「まだ」と言われたら)
ちゃんと食べなきゃだめですよ。
잘 챙겨 먹어요.
チャル　チェンギョ　モゴヨ.

こう言われたら

column

あいさつで使う「밥 먹었어요? パン　モゴッソヨ？（ご飯食べましたか？）」は、日本人には食事に誘っているように聞こえるようですね。ご飯を食べられていることは健康な証拠と考える韓国では、相手が元気かどうか確認するために、この表現をあいさつの言葉として使っています。

ありがとうございます

ありがとうございます。
감사합니다.
カムサハムニダ.

(返事)
どういたしまして。
천만에요.
チョンマネヨ.

(返事)
いえいえ。
뭘요.
モルリョ.

はじめまして

はじめまして。
처음 뵙겠습니다.
チョウム ベッケッスムニダ.

(返事)
はじめまして。
처음 뵙겠습니다.
チョウム ベッケッスムニダ.

さようなら

(去る人に)
さようなら。
안녕히 가세요.
アンニョンヒ カセヨ.

(残る人に)
さようなら。
안녕히 계세요.
アンニョンヒ ケセヨ.

column

「안녕히 가세요. アンニョンヒ カセヨ.」は「お元気で行かれてください」という意味で、今いる場所から去っていく人に対して使うあいさつです。一方、「안녕히 계세요. アンニョンヒ ケセヨ.」は「お元気でいらしてください」という意味で、その場所にとどまる人に対して使います。電話ではお互い場所は動かないので「アンニョンヒ ケセヨ.」を使い、外でお互いに帰るときは「アンニョンヒ カセヨ.」を使います。

友だちや家族とのあいさつ

来た？

あ、来た？
어, 왔어?
オ、ワッソ？

(返事)
うん。来たよ。
응. 왔어.
ウン. ワッソ.

column

待ち合わせで待っていた人が「어, 왔어? オ、ワッソ？」と言い、あとから来た人が「응. 왔어. ウン. ワッソ.」と返事をします。また、家に帰って「ただいま」という意味で「왔어. ワッソ.」と言うことも多いです。
なお、ここで紹介するのは、親しい人同士のあいさつなので、初対面の人や年上の人には使わないようにしてください。

ご飯食べた？

こう言われたら

ご飯食べた？
밥 먹었어?
パン モゴッソ？

(返事)
うん、食べた。
응, 먹었어.
ウン、モゴッソ.

(返事)
ううん、まだ食べてない。
아니, 아직 안 먹었어.
アニ、アジッ アン モゴッソ.

(「まだ」と言われたら)
ちゃんと食べなきゃ。
잘 챙겨 먹어야지.
チャル チェンギョ モゴヤジ.

244

待った?

たくさん待ったでしょ?
많이 기다렸지?
マニ キダリョッチ?

(返事) うん、待った。
그래, 기다렸어.
クレ、キダリョッソ.

(返事) ううん、待ってない。
아니, 그렇지도 않아.
アニ、クロチド アナ.

私も今、来たところよ。
나도 이제 막 왔어.
ナド イジェ マグァッソ.

column

最近は携帯電話やスマートフォンなどが普及して、連絡をとる手段が増えた影響で、待ち合わせの仕方が変わってきました。その日に会う約束だけをして、時間や場所はその場で決めることがよくあります。当日に「지금 어디야? チグム オディヤ?(今どこ?)」と、電話をして待ち合わせ場所を決める人が増えているようです。

元気?

元気にしてる?
잘 지내?
チャル ジネ?

(返事) うん、元気だよ。
응, 잘 지내.
ウン、チャル ジネ.

(返事) まあまあです。
그럭저럭 지내.
クロッチョロッ チネ.

245

注意されたとき①

～してはいけません

写真を撮ってはいけません。
사진 찍으면 안 돼요.
サジン チグミョン アンデヨ.

入ってはいけません。
들어가면 안 돼요.
トゥロガミョン アンデヨ.

行ってはいけません。
가면 안 돼요.
カミョン アンデヨ.

言ってはいけません。
말하면 안 돼요.
マラミョン アンデヨ.

試着してはいけません。
입어 보면 안 돼요.
イボボミョン アンデヨ.

試食してはいけません。
먹으면 안 돼요.
モグミョン アンデヨ.

乗ってはいけません。
타면 안 돼요.
タミョン アンデヨ.

こう言われたら

返事例

はい、わかりました。
네, 알겠어요.
ネ、アルゲッソヨ.

すみません。
죄송합니다.
チェソンハムニダ.

すみません。知りませんでした。
죄송합니다. 몰랐어요.
チェソンハムニダ. モルラッソヨ.

だめですか？

だめですか？
안 돼요?
アンデヨ?

なぜだめですか？
왜 안 돼요?
ウェ アンデヨ?

今はだめですか？
지금은 안 돼요?
チグムン アンデヨ?

大丈夫ですか？
괜찮아요?
ケンチャナヨ?

これは大丈夫ですか？
이건 괜찮아요?
イゴン ケンチャナヨ?

ここは大丈夫ですか？
여긴 괜찮아요?
ヨギン ケンチャナヨ?

いいですか？
돼요?
テヨ?

いつならいいですか？
언제면 돼요?
オンジェミョン デヨ?

パンマル くだけた言い方

ダメ！	ダメ！ダメ！	しないで！
안 돼!	안 돼! 안 돼!	하지 마!
アンデ!	アンデ! アンデ!	ハジマ!

注意されたとき②

やめてください

やめてください。
하지 마세요.
ハジマセヨ.

～しないでください

見ないでください。
보지 마세요.
ポジマセヨ.

言わないでください。
말하지 마세요.
マラジマセヨ.

行かないでください。
가지 마세요.
カジマセヨ.

触らないでください。
만지지 마세요.
マンジジ マセヨ.

入らないでください。
들어가지 마세요.
トゥロガジ マセヨ.

乗らないでください。
타지 마세요.
タジマセヨ.

うるさくしないでください。
시끄럽게 하지 마세요.
シックロッケ ハジ マセヨ.

写真を撮らないでください。
사진 찍지 마세요.
サジン チッチ マセヨ.

返事例

はい、わかりました。
네, 알겠어요.
ネ、アルゲッソヨ.

すみません。
죄송합니다.
チェソンハムニダ.

すみません。知りませんでした。
죄송합니다. 몰랐어요.
チェソンハムニダ. モルラッソヨ.

はい、すぐにやめます。
네, 지금 당장 그만할게요.
ネ、チグム タンジャン クマン ハルケヨ.

はい、もうしません。
네, 이제 안 할게요.
ネ、イジェ アナルケヨ.

はい、これ以上入りません。
네, 이 이상은 안 들어갈게요.
ネ、イイサンウン アン トゥロガルケヨ.

もう写真を撮りません。
이제 사진 안 찍을게요.
イジェ サジン アン チグルケヨ.

何を言われたかわからないとき

わかりません

よくわかりません。
잘 모르겠어요.
チャル モルゲッソヨ.

まったくわかりません。
전혀 모르겠어요.
チョニョ モルゲッソヨ.

さっぱりわかりません。
도무지 모르겠어요.
トムジ モルゲッソヨ.

今、何と言いましたか？
지금 뭐라고 했어요?
チグム モラゴ ヘッソヨ？

もう一度言ってください。
다시 한번 말해 주세요.
タシ ハンボン マレ ジュセヨ.

すみませんが、もう少しゆっくり言ってください。
죄송한데요, 조금 더 천천히 말해 주세요.
チェソンハンデヨ、チョグムド チョンチョニ マレ ジュセヨ.

すみません。聞き取れません。
죄송해요. 못 알아들었어요.
チェソンヘヨ. モダラドゥロッソヨ.

日本語がわかる人はいますか？

日本語がわかる人はいますか？
일본어 아시는 분 있어요?
イルボノ　アシヌンブン　イッソヨ？

英語がわかる人はいますか？
영어 아시는 분 있어요?
ヨンオ　アシヌンブン　イッソヨ？

日本語か英語がわかる人はいますか？
일본어나 영어 아시는 분 있어요?
イルボノナ　ヨンオ　アシヌンブン　イッソヨ？

すみません。韓国語がわかりません。
죄송해요. 한국어를 몰라요.
チェソンヘヨ. ハングゴル　モルラヨ.

会話例

A: 注文されますか？
주문하시겠어요?
チュムナシゲッソヨ？

B: すみません、韓国語がわかりません。
죄송해요, 한국어를 몰라요.
チェソンヘヨ、ハングゴル　モルラヨ.

A: では日本語がわかる人を呼んできますね。
그럼 일본어를 아는 사람을 불러 올게요.
クロム　イルボノル　アヌン　サラムル　プルロオルケヨ.

B: ありがとうございます。
고맙습니다.
コマプスムニダ.

251

相手がわかったかを聞くとき

わかりますか？（理解していますか？）

わかりますか？／わかりましたか？
알겠어요?
アルゲッソヨ？

(より、ていねいな言い方)
わかりますか？／わかりましたか？
알겠습니까?
アルゲッスムニッカ？

私の言っていることがわかりますか？
내 말 알겠어요?
ネマル アルゲッソヨ？

私のことがわかりますか（覚えていますか）？
저 알겠어요?／제가 누군지 알겠어요?
チョ アルゲッソヨ？／チェガ ヌグンジ アルゲッソヨ？

返事例

こう言われたら

はい、わかります。／わかりました。
네, 알겠어요.
ネ、アルゲッソヨ.

(より、ていねいな言い方)
はい、よくわかります。／わかりました。
네, 알겠습니다.
ネ、アルゲッスムニダ.

よくわかりません。／わかりませんでした。
잘 모르겠어요.
チャル モルゲッソヨ.

よくわかりません。／わかりませんでした。(より、ていねいな言い方)

잘 모르겠습니다.
チャル モルゲッスムニダ.

くだけた言い方 (パンマル)

わかった？	わかったでしょ？	知ってる？	知ってるでしょ？
알겠어?	알겠지?	알아?	알지?
アルゲッソ？	アルゲッチ？	アラ？	アルジ？

わかりますか？（知っていますか？）

わかりますか？
알아요?
アラヨ？

わかりましたか？
알았어요?
アラッソヨ？

どこにあるかわかりますか？
어디에 있는지 알아요?
オディエ インヌンジ アラヨ？

返事例

はい、わかります。
네, 알아요.
ネ、アラヨ.

はい、わかりました。
네, 알았어요.
ネ、アラッソヨ.

よくわかりません。
잘 몰라요.
チャル モルラヨ.

よくわかりませんでした。
잘 몰랐어요.
チャル モルラッソヨ.

253

緊急のとき

助けてください

助けてください。
도와 주세요.
トワ ジュセヨ.

どろぼうだ！
도둑이야!
トドゥギヤ！

警察呼んでください。
경찰 불러 주세요.
キョンチャル プルロ ジュセヨ.

警察に言います。
경찰한테 말할 거예요.
キョンチャランテ マラルコエヨ.

警察に行きます。
경찰서 가요.
キョンチャルソ カヨ.

警察に行って話しましょう。
경찰서 가서 말해요.
キョンチャルソ カソ マレヨ.

こう言われたら

捕まえて！
잡아!
チャバ！

捕まえてください。
잡아 주세요.
チャバ ジュセヨ.

スリにあいました。
소매치기를 당했어요.
ソメチギル タンヘッソヨ.

体調が悪いとき

救急車呼んでください。
구급차 불러 주세요.
クグプチャ プルロ ジュセヨ.

ここに医者はいませんか？
여기 의사 없어요?
ヨギ ウィサ オプソヨ？

叫んで知らせよう！

犯人	スリ	痴漢
범인	소매치기	치한
ポミン	ソメチギ	チハン

どろぼう	強盗	詐欺師
도둑	강도	사기꾼
トドゥク	カンド	サギックン

事故	盗み (万引き)	ひったくり
사고	도둑질	날치기
サゴ	トドゥッチル	ナルチギ

column

＜緊急の場合の連絡先＞
警察 112 ＊日本語通訳サービス。運用時間：7:00～22:00（平日）、8:00～18:00（土日祝）
消防・救急 119
応急レスキュー 02-711-0129
日本大使館 02-733-5626
／9:30～12:00、13:30～17:00（土日休み）
観光公社（日本語案内）1330／9:00～18:00（年中無休）

ちょっと
ひと息 8

日本とは違う韓国のサービス感覚

公共機関でびっくり

　日本に長くいた私には、日本の細やかな心遣いを感じるサービスが当たり前になっているので、韓国では、びっくりすることがたびたびあります。

　ある書類が欲しくて公共機関へ行ったときのことです。受付のスタッフに書類のことを頼むと、その依頼を受けた後、すぐに私の目の前でスタッフ同士が仕事以外の話を始めました。また別のスタッフは、携帯電話で私用の電話をしています。私はちょっと驚いてしまい、「日本ではありえない…」と日本語でつぶやいてしまいました。

食堂でもびっくり

　家族で食堂に行ったときのことです。ある店に入ったところ、人がいなくて営業しているのかどうか、一瞬不安になりました。しかも、店員がどこにいるのかわからず、周りをウロウロ…。よく見ると2階にも席があることがわかり、上がってみたらお客もいて、ようやく店員が出てきました。

　店員が何食わぬ顔をしているので、「お客をほったらかしにして！」とクレームを言おうとしたところ、母と兄にほぼ同時に止められました。母と兄の2人が私を止めたということは「韓国では怒るほうがおかしいのか？」と、ちょっと驚きました。

こう言われたら

256

付録
索引機能つき
よく使うフレーズ集

「どこですか?」「ください」「いいですか?」など、
ごく短いひと言フレーズを本文から抜粋してまとめました。
このひと言で通じるので、ぜひ使ってみてください。
本文の掲載ページも入れてあるので、そのフレーズについて
もっと知りたいときは、本文を参照してください。

あ

会いたいです。…P.177
보고 싶어요. ポゴ シポヨ.

会いたかったです。…P.177
보고 싶었어요. ポゴ シポッソヨ.

会いましょう。…P.176
만납시다. マンナプシダ.

会いましょう。…P.177
봅시다. ポプシダ.

会えてうれしいです。…P.50
만나서 반갑습니다. マンナソ パンガプスムニダ.

明日会いましょう。…P.177
내일 봅시다. ネイル ポプシダ.

明日来ます。…P.94
내일 올게요. ネイル オルケヨ.

味はどうですか？…P.49
맛이 어때요? マシ オッテヨ?

遊びましょう。…P.173
놉시다. ノプシダ.

温めなおしてもらえますか？…P.125
데워 주실 수 있어요? テウォ ジュシルス イッソヨ?

合っていますか？…P.58
맞아요? マジャヨ?

合っていません。…P.77
안 맞아요. アン マジャヨ.

油っこいです。…P.107
느끼해요. ヌッキヘヨ.

油っこいですか？…P.108
느끼해요? ヌッキヘヨ?

油っこいですね。…P.109
느끼하네요. ヌッキハネヨ

甘いです。…P.107
달아요. タラヨ.

甘いですか？…P.59、108
달아요? タラヨ？

甘いですね。…P.109
다네요. タネヨ.

ありがとうございました。…P.54
고마웠어요. コマウォッソヨ.

ありがとうございます。(あらゆる場面で使える言い方)…P.54、243
감사합니다. カムサハムニダ.

ありがとうございます。(親しみを込めた言い方)…P.54
고마워요. コマウォヨ.

ありがとうございます。(親しみを込めた言い方のより、ていねいな言い方)…P.54、239
고맙습니다. コマプスムニダ.

あります。…P.71、99
있어요. イッソヨ.

ありますか？…P.58、70、98、117、226
있어요? イッソヨ？

ありません。…P.71、99
없어요. オプソヨ.

歩いて行けますか？…P.87
걸어서 갈 수 있어요? コロソ カルスイッソヨ？

歩きたいです。…P.206
걷고 싶어요. コッコ シポヨ.

あれください。…P.68
저거 주세요. チョゴ ジュセヨ.

あれはいくらですか？…P.66
저건 얼마예요? チョゴン オルマエヨ？

あれは何ですか？…P.34
저건 뭐예요? チョゴン モエヨ？

い

あれもください。…P.68
저것도 주세요.　チョゴット ジュセヨ.

いいえ。…P.62
아니요.　アニヨ.

いいえ、ありません。…P.62
아니요, 없어요.　アニヨ、オプソヨ.

いいえ、違います。…P.62
아니요, 아니에요.　アニヨ、アニエヨ.

いいです。…P.75
돼요.　テヨ.

いいですか？…P.111
괜찮아요?　ケンチャナヨ？

いいですか？…P.110、247
돼요?　テヨ？

いいですか？…P.58、72
좋아요?　チョアヨ？

いいですね。…P.63、76、227
좋네요.　チョンネヨ.

いいにおい！…P.76
냄새 좋다!　ネムセ チョッタ！

いいにおいですね！…P.76
냄새 좋네요!　ネムセ チョンネヨ！

いえいえ。…P.55、243
뭘요.　モルリョ.

行かないでください。…P.57、248
가지 마세요.　カジ マセヨ.

行きたいです。…P.132、198
가고 싶어요.　カゴシポヨ.

行きましょう。…P.172
갑시다.　カプシダ.

行きますか？…P.58、130
가요?　カヨ?

行くつもりです。…P.198
갈 거예요.　カルコエヨ.

いくらですか？…P.47、66、117
얼마예요?　オルマエヨ?

行けますか？…P.87、146、152
갈 수 있어요?　カルス イッソヨ?

急いで行ってください。…P.137
빨리 가 주세요.　パリ カジュセヨ.

急いでください。…P.208
서두르세요.　ソドゥルセヨ.

急ぎましょう。…P.208
서두릅시다.　ソドゥルプシダ.

痛いです。…P.212
아파요.　アパヨ.

いただきます。…P.52
잘 먹겠습니다.　チャル モッケッスムニダ.

いつ会いましょうか？…P.40
언제 만날까요?　オンジェ マンナルッカヨ?

いつ行きましょうか？…P.40
언제 갈까요?　オンジェ カルッカヨ?

いつ行きますか？…P.40
언제 가요?　オンジェ カヨ?

いつ終わりますか？…P.40
언제 끝나요?　オンジェ クンナヨ?

いつ帰りますか？…P.40
언제 돌아가요?　オンジェ トラガヨ?

いつからですか？…P.40
언제부터예요?　オンジェブトエヨ?

261

行ったことがあります。…P.198
간 적이 있어요. カンジョギ イッソヨ.

行ってきます。(あいさつ) …P.51
다녀 오겠습니다. タニョ オゲッスムニダ.

行ってください。…P.136
가 주세요. カジュセヨ.

いつですか？…P.40
언제예요? オンジェエヨ？

行ってらっしゃい。(あいさつ) …P.51
다녀 오세요. タニョオセヨ.

一杯やりましょう。…P.175
한잔해요. ハンジャネヨ.

いつ始まりますか？…P.40
언제 시작해요? オンジェ シジャケヨ？

いつまで滞在しますか？…P.167
언제까지 머물러요? オンジェッカジ モムルロヨ？

いつまでですか？…P.40
언제까지예요? オンジェッカジエヨ？

いりません。…P.77
필요없어요. ピリョオプソヨ.

インターネットはできますか？…P.86
인터넷 할 수 있어요? イントネッ ハルスイッソヨ？

う

うれしいです。…P.190
기뻐요. キッポヨ.

うれしいですか？…P..190
기뻐요? キッポヨ？

運転手さん！ 降ります。…P.144
기사님! 내려요. キサニン！ ネリョヨ.

え

英語で言ってください。…P.233
영어로 말해 주세요. ヨンオロ マレ ジュセヨ.

英語はできますか？…P.86
영어 할 수 있어요? ヨンオ ハルスイッソヨ？

駅はどこですか？…P.38
역은 어디예요? ヨグン オディエヨ？

干支は何ですか？…P.168
무슨 띠예요? ムスン ッティエヨ？

円でいくらですか？…P.47
엔으로 얼마예요? エヌロ オルマエヨ？

お

お会いしたかったです。…P.162
만나고 싶었어요. マンナゴ シポッソヨ.

お会いできてうれしいです。…P.162
만나서 반갑습니다. マンナソ パンガッスムニダ.

おいしいです。…P.106
맛있어요. マシッソヨ.

おいしいですか？…P.59
맛있어요? マシッソヨ？

おいしいですね。…P.109
맛있네요. マシンネヨ.

おいしかったです。…P.106
맛있었어요. マシッソッソヨ.

おいしくないです。…P.106
맛없어요. マドプソヨ.

おいしくなかったです。…P.106
맛없었어요. マドプソッソヨ.

おいしそうですね。…P.106
맛있겠네요. マシッケンネヨ.

お帰りなさい。(あいさつ) …P.51
다녀 오셨어요. タニョ オショッソヨ.

おかわりください。…P.102
더 주세요. トジュセヨ.

263

お気をつけて行ってください。…P.52
조심해서 가세요. チョシメソ カセヨ.

送ってください。…P.89
보내 주세요. ポネ ジュセヨ.

お元気でしたか？…P.50
잘 지내셨어요? チャル チネショッソヨ？

お元気ですか？…P.50
잘 지내세요? チャル チネセヨ？

怒っています。…P.191
화났어요. ファナッソヨ.

怒っていますか？…P.59、191
화났어요? ファナッソヨ？

教えてください。…P.57
가르쳐 주세요. カルチョ ジュセヨ.

お仕事は何ですか？…P.163
직업이 뭐예요? チゴビ モエヨ？

お上手ですね。…P.238
잘하시네요. チャラシネヨ.

お茶しましょう。…P.175
차 한잔해요. チャ ハンジャネヨ.

お疲れさまでした。(相手の仕事が終わったとき)…P.240
수고하셨습니다. スゴハショッスムニダ.

お疲れさまでした。…P.50
수고하셨어요. スゴハショッソヨ.

お疲れさまです。(相手が仕事中に出て行くとき)…P.50、240
수고하세요. スゴハセヨ.

おつりが違います。…P.123
거스름돈이 틀린데요. コスルントニ トゥルリンデヨ.

おなかいっぱいです。…P.126
배 불러요. ペブルロヨ.

264

おなかすいて死にそう。…P.127
배 고파서 죽겠어요.　ペゴパソ　チュッケッソヨ.

おなかすきすぎました。…P.127
배가 너무 고파요.　ペガ　ノムコパヨ.

おなかすきました。…P.127
배 고파요.　ペゴパヨ.

同じものをください。…P.102
같은 거 주세요.　カットゥンゴ　ジュセヨ.

お名前は何ですか？…P.163
이름이 뭐예요?　イルミ　モエヨ？

お名前は何ですか？(より、ていねいな言い方)…P.34
이름이 무엇입니까?　イルミ　ムオシムニッカ？

お名前は何ですか？…P.45
이름이 어떻게 되세요?　イルミ　オッケ　デセヨ？

お願いします。…P.56
부탁합니다.　プタカムニダ.

お久しぶりです。…P.50
오랜만이에요.　オレンマニエヨ.

お久しぶりです。(より、ていねいな言い方)…P.50
오래간만입니다.　オレガンマニムニダ.

お水ください。…P.102
물 주세요.　ムルジュセヨ.

おもしろいです。…P.190
재미있어요.　チェミイッソヨ.

おもしろいですか？…P.59、190
재미있어요?　チェミイッソヨ？

おやすみなさい。…P.52
안녕히 주무세요.　アンニョンヒ　チュムセヨ.

か

カードで支払えますか？…P.124
카드로 계산할 수 있어요?　カドゥロ　ケサナルス　イッソヨ？

カードで払えますか？…P.89
카드 돼요?　カドゥ デヨ？

会計が違います。…P.123
계산이 틀린데요.　ケサニ トゥルリンデヨ.

会計してください。…P.57、105
계산해 주세요.　ケサネ ジュセヨ.

会社員ですか？…P.163
회사원이에요?　フェサウォニエヨ？

買いたいです。…P.210
사고 싶어요.　サゴシポヨ.

書いてください。…P.57
써 주세요.　ソ ジュセヨ.

買いました。…P.210
샀어요.　サッソヨ.

帰ってきたいです。…P.200
돌아오고 싶어요.　トラオゴシポヨ.

帰ってきてください。…P.200
돌아오세요.　トラオセヨ.

帰ってください。…P.200
돌아가세요.　トラガセヨ.

帰らないでください。…P.200
돌아가지 마세요.　トラガジ マセヨ.

帰りたいです。…P.200
돌아가고 싶어요.　トラガゴシポヨ.

帰りましょう。…P.173
돌아갑시다.　トラガプシダ.

学生ですか？…P.163
학생이에요?　ハクセンイエヨ？

書けますか？…P.87、152
쓸 수 있어요?　スルスイッソヨ？

索引

266

家族は何人いますか？…P.182
가족이 몇 명이에요?　カジョギ　ミョンミョンイエヨ？

かたいです。…P.107
딱딱해요.　タッタケヨ.

かっこいい！…P.76、226
멋있다!　モシッタ！

かっこいいですね！…P.76
멋있네요!　モシンネヨ！

悲しいです。…P.191
슬퍼요.　スルポヨ.

悲しいですか？…P.59、191
슬퍼요?　スルポヨ？

彼女はいますか？…P.166
여자 친구 있어요?　ヨジャチング　イッソヨ？

辛いです。…P.107
매워요.　メオヨ.

辛いですか？…P.59、108
매워요?　メオヨ？

辛いですね。…P.109
맵네요.　メンネヨ.

辛くありませんね。…P.109
안 맵네요.　アンメンネヨ.

辛くしてください。…P.104
맵게 해 주세요.　メッケヘ　ジュセヨ.

辛くしないでください。…P.104
안 맵게 해 주세요.　アン　メッケヘ　ジュセヨ.

辛すぎます。…P.107
너무 매워요.　ノム　メオヨ.

体の具合はどうですか？…P.48
몸은 어때요?　モムン　オッテヨ？

267

彼氏はいますか？…P.166
남자 친구 있어요?　ナムジャチング　イッソヨ？

かわいい！…P.226
예쁘다!　イェップダ！

かわいいですね。…P.76
귀엽네요.　キヨンネヨ.

かわいいですね。…P.227
예쁘네요.　イェップネヨ.

韓国語では何と言いますか？…P.35
한국어로 뭐라고 해요?　ハングゴロ　モラゴヘヨ？

韓国語を教えてください。…P.188
한국어를 가르쳐 주세요.　ハングゴル　カルチョ　ジュセヨ.

韓国はどうですか？…P.48
한국은 어때요?　ハンググン　オッテヨ？

乾杯！…P.175
건배!　コンベ！

乾杯！（直訳：～のために！）…P.175
위하여!　ウィハヨ！

き

聞けますか？…P.87
들을 수 있어요?　トゥルス　イッソヨ？

来たいです。…P.198
오고 싶어요.　オゴシポヨ.

着てみてもいいですか？…P.74
입어 봐도 돼요?　イボバド　デヨ？

気に入りました。…P.77、227
마음에 들어요.　マウメ　トゥロヨ.

気に入りましたか？…P.59
마음에 들어요?　マウメ　トゥロヨ？

気に入りません。…P.77、94
마음에 안 들어요.　マウメ　アン　ドゥロヨ.

気分がいいです。…P.191
기분 좋아요. キブン チョアヨ.

気分がいいですか？…P.191
기분 좋아요? キブン チョアヨ?

気分はどうですか？…P.49
기분이 어때요? キブニ オッテヨ?

救急車呼んでください。…P.255
구급차 불러 주세요. クグプチャ プルロ ジュセヨ.

興味がありません。…P.94
흥미가 없어요. フンミガ オプソヨ.

きれい！…P.76
예쁘다! イェップダ！

きれいですね。…P.76
예쁘네요. イェップネヨ.

く

クーポン券使えますか？…P.105
쿠폰 쓸 수 있어요? クポン スルス イッソヨ？

ください。…P.68、102、117、138
주세요. ジュセヨ.

け

血液型は何ですか？…P.168
혈액형이 뭐예요? ヒョレキョンイ モエヨ？

結構です。(断る)…P.94
됐어요. テッソヨ.

結構です。(より、ていねいな言い方)…P.94
됐습니다. テッスムニダ.

結婚していますか？…P.166
결혼했어요? キョロネッソヨ？

こ

交換してください。…P.57
바꿔 주세요. パッコ ジュセヨ.

交換できますか？…P.88
교환 돼요? キョファン デヨ？

269

香ばしいです。…P.107
구수해요.　クスヘヨ.

香ばしいですか？…P.108
구수해요?　クスヘヨ？

香ばしいですね。…P.109
구수하네요.　クスハネヨ.

ここで降ります。…P.144
여기서 내려요.　ヨギソ ネリョヨ.

ここですか？…P.58
여기예요?　ヨギエヨ？

ここに医者はいませんか？…P.255
여기 의사 없어요?　ヨギ ウィサ オプソヨ？

ここに行ってください。(地図など見せて)…P.136
여기에 가 주세요.　ヨギエ カジュセヨ.

ここに書いてください。(メモを渡して)…P.233
여기에 써 주세요.　ヨギエ ソ ジュセヨ.

ここに座ってもいいですか？…P.101
여기 앉아도 돼요?　ヨギ アンジャド デヨ？

ここはどこですか？…P.38
여기는 어디예요?　ヨギヌン オディエヨ？

ごちそうさまでした。…P.52
잘 먹었습니다.　チャル モゴッスムニダ.

こちらで予約できますか？…P.140
여기서 예약돼요?　ヨギソ イェヤッテヨ？

ご飯食べましたか？…P.51、242
밥 먹었어요?　パン モゴッソヨ？

ごめんなさい。…P.60
미안해요.　ミアネヨ.

ごめんなさい。(より、ていねいな言い方)…P.60
미안합니다.　ミアナムニダ.

来られますか？…P.152
올 수 있어요? オルス イッソヨ？

これください。…P.68、102
이거 주세요. イゴ ジュセヨ.

これとこれください。…P.68
이거하고 이거 주세요. イゴハゴ イゴ ジュセヨ.

これはいくらですか？…P.47、66
이건 얼마예요? イゴン オルマエヨ？

これは何ですか？…P.34
이건 뭐예요? イゴン モエヨ？

これもください。…P.68
이것도 주세요. イゴット ジュセヨ.

こんにちは。(朝・昼・晩いつでも使える)…P.50、242
안녕하세요? アンニョンハセヨ？

こんにちは。(より、ていねいな言い方)…P.50
안녕하십니까? アンニョンハシムニッカ？

さ

さあ。…P.63
글쎄요. クルセヨ.

最近どうですか？…P.48
요즘 어때요? ヨジュム オッテヨ？

サイズが合いません。…P.94
사이즈가 안 맞아요. サイズガ アン マジャヨ.

さっぱりしています。…P.107
깔끔해요./시원해요. カルクメヨ./シオネヨ.

さっぱりしてますか？…P.108
시원해요? シオネヨ？

さっぱりしてますね。…P.109
시원하네요. シオナネヨ.

さようなら。(去る人に)…P.52、243
안녕히 가세요. アンニョンヒ カセヨ.

271

し

さようなら。(残る人に) …P.52、243
안녕히 계세요. アンニョンヒ ケセヨ.

触ってもいいですか？…P.72
만져 봐도 돼요? マンジョバド デヨ?

試着してもいいですか？(スカート、ズボン含む洋服全般に使える) …P.75
입어 봐도 돼요? イボバド デヨ?

知っていますか？…P.58
알고 있어요? アルゴ イッソヨ?

してください。…P.57、68、104
해 주세요. ヘ ジュセヨ.

してみてもいいですか？…P.74
해 봐도 돼요? ヘバド デヨ?

写真を撮ってもいいですか？…P.72
사진 찍어도 돼요? サジン チゴド デヨ?

出身はどこですか？…P.178
출신은 어디예요? チュルシヌン オディエヨ?

趣味は何ですか？…P.34、163
취미가 뭐예요? チュミガ モエヨ?

しょっぱいです。…P.107
짜요. チャヨ.

しょっぱいですか？…P.108
짜요? チャヨ?

しょっぱいですね。…P.109
짜네요. チャネヨ.

す

好きですか？…P.170
좋아해요? チョアヘヨ?

すごいですね。…P.63
대단하네요. テダナネヨ.

少し休みましょう。…P.173
잠깐 쉽시다. チャンカン シプシダ.

272

酸っぱいです。…P.107
셔요. ショヨ.

酸っぱいですか？…P.108
셔요? ショヨ？

酸っぱいですね。…P.109
시네요. シネヨ.

すみません。(近くにいる人を呼ぶとき) …P.101
여기요. ヨギヨ.

すみません。(遠くにいる人を呼ぶとき) …P.101
저기요. チョギヨ.

すみません。…P.247、249
죄송합니다. チェソンハムニダ.

すみません。…P.60
죄송해요. チェソンヘヨ.

座ってください。…P.222
앉으세요. アンジュセヨ.

座ってもいいですか？…P.72、236
앉아도 돼요? アンジャド デヨ？

座りたいです。…P.222
앉고 싶어요. アンコ シポヨ.

座りましょう。…P.222
앉읍시다. アンジュプシダ.

座れますか？…P.152
앉을 수 있어요? アンジュルス イッソヨ？

せ
そ

全部でいくらですか？…P.47、66
전부 얼마예요? チョンブ オルマエヨ？

そうだったんですね。…P.63
그랬군요. クレックンニョ.

そうです (その通りです)。…P.63
맞아요. マジャヨ.

273

そうですね。…P.63
그렇네요.　クロンネヨ.

そうなんですか？…P.63
그래요?　クレヨ?

ソウルはどうですか？…P.48
서울은 어때요?　ソウルン オッテヨ?

それください。…P.68
그거 주세요.　クゴ ジュセヨ.

それで？…P.63
그래서?　クレソ?

それはいくらですか？…P.66
그건 얼마예요?　クゴン オルマエヨ?

それは何ですか？…P.34
그건 뭐예요?　クゴン モエヨ?

た

大丈夫です。…P.73
괜찮아요.　ケンチャナヨ.

大丈夫です。(より、ていねいな言い方)…P.73
괜찮습니다.　ケンチャンスムニダ.

大丈夫ですか？…P.58、72、247
괜찮아요?　ケンチャナヨ?

高いですね。(値段が)…P.77
비싸네요.　ピッサネヨ.

だからです。(同意する)…P.63
그러니까요.　クロニカヨ.

タクシーを呼ぶことはできますか？…P.125
택시 부를 수 있어요?　テクシ プルス イッソヨ?

助けてください。…P.254
도와 주세요.　トワ ジュセヨ.

ただいま。…P.51
다녀 왔습니다.　タニョ ワッスムニダ.

274

楽しいです。…P.190
즐거워요. チュルゴオヨ.

楽しいですか？…P.59、190
즐거워요? チュルゴオヨ?

楽しかったですか？…P.59
즐거웠어요? チュルゴオッソヨ?

食べすぎました。…P.126
너무 많이 먹었어요. ノムマニ モゴッソヨ.

食べたいです。…P.196
먹고 싶어요. モッコシポヨ.

食べたことがあります。…P.196
먹은 적이 있어요. モグン ジョギ イッソヨ.

食べてみてもいいですか？…P.74
먹어 봐도 돼요? モゴバド デヨ?

食べてもいいですか？…P.72
먹어도 돼요? モゴド デヨ?

食べましょう。…P.172
먹읍시다. モグプシダ.

食べられますか？…P.87、152
먹을 수 있어요? モグルス イッソヨ?

試してもいいですか？（化粧品〈スプレー以外〉に使う）…P.75
발라 봐도 돼요? パルラバド デヨ?

だめです。…P.73、75
안 돼요. アンデヨ.

だめですか？…P.247
안 돼요? アンデヨ?

誰が出演しますか？…P.36
누가 나와요? ヌガ ナワヨ?

誰が好きですか？…P.36
누구 좋아해요? ヌグ チョアヘヨ?

275

誰が人気ですか？…P.36
누가 인기 있어요? ヌガ インキ イッソヨ？

誰ですか？…P.36
누구예요? ヌグエヨ？

誰のファンですか？…P.37
누구 팬이에요? ヌグ ペニエヨ？

誕生日はいつですか？…P.40
생일이 언제예요? センイリ オンジェエヨ？

ち

地下鉄で行けますか？…P.87
지하철로 갈 수 있어요? チハチョルロ カルスイッソヨ？

注文お願いします。…P.101
주문받으세요. チュムン パドゥセヨ.

注文したいのですが。…P.120
주문하고 싶은데요. チュムナゴ シプンデヨ.

ちょっと待ってください。…P.228
잠깐만요. チャンカンマンニョ.

つ

疲れたでしょう？…P.241
힘드셨죠? ヒムドゥショッチョ？

疲れましたか？…P.202
피곤했어요? ピゴネッソヨ？

作れますか？…P.87、152
만들 수 있어요? マンドゥルス イッソヨ？

包んでください。…P.89
포장해 주세요. ポジャンヘ ジュセヨ.

て

できます。…P.153、218
할 수 있어요. ハルス イッソヨ.

できますか？…P.86、124、152
할 수 있어요? ハルス イッソヨ？

できません。…P.221
못 해요. モテヨ.

276

できません。…P.220
할 수 없어요. ハルス オプソヨ.

出前できますか？…P.125
배달돼요? ペダルデヨ?

電話してください。…P.57
전화해 주세요. チョナヘ ジュセヨ.

電話番号は何番ですか？…P.45
전화번호가 어떻게 되세요? チョナボノガ オットケ デセヨ?

電話番号を教えてください。…P.189
전화번호를 가르쳐 주세요. チョナボノル カルチョ ジュセヨ.

電話番号を教えてください。…P.105
전화번호 가르쳐 주세요. チョナボノ カルチョ ジュセヨ.

電話をしました。…P.195
전화를 했어요. チョナル ヘッソヨ.

電話をします。…P.195
전화를 해요. チョナル ヘヨ.

と

トイレはどこですか？…P.38
화장실은 어디예요? ファジャンシルン オディエヨ?

どういたしまして。…P.55、243
천만에요. チョンマネヨ.

どうぞよろしくお願いします。…P.162
잘 부탁합니다. チャル プタカムニダ.

どうでしたか？…P.48
어땠어요? オッテッソヨ?

どうですか？…P.48
어때요? オッテヨ?

どうもありがとうございます。…P.54
대단히 감사합니다. テダニ カムサハムニダ.

どうやって行きますか？…P.44
어떻게 가요? オットケ カヨ?

277

どうやって行ったらいいですか？…P.44
어떻게 가면 돼요?　オットケ　カミョン　デヨ？

どうやってしますか？…P.44
어떻게 해요?　オットケ　ヘヨ？

どうやって食べますか？…P.44
어떻게 먹어요?　オットケ　モゴヨ？

どうやって使いますか？…P.45
어떻게 써요?　オットケ　ソヨ？

どうやって勉強しましたか？…P.44
어떻게 공부했어요?　オットケ　コンブヘッソヨ？

どこがいいですか？…P.39
어디가 좋아요?　オディガ　チョアヨ？

どこがおいしいですか？…P.119
어디가 맛있어요?　オディガ　マシッソヨ？

どこから来ましたか？…P.39、178
어디에서 왔어요?　オディエソ　ワッソヨ？

どこで会いましょうか？…P.39
어디에서 만날까요?　オディエソ　マンナルッカヨ？

どこですか？…P.38
어디예요?　オディエヨ？

どこで乗り換えますか？…P.215
어디서 갈아타요?　オディソ　カラタヨ？

どこでもいいですか？…P.230
어디라도 괜찮아요?　オディラド　ケンチャナヨ？

どこに行きましたか？…P.39
어디에 갔어요?　オディエ　カッソヨ？

どこに行きますか？…P.39
어디에 가요?　オディエ　カヨ？

どこにいますか？…P.39
어디에 있어요?　オディエ　イッソヨ？

どこに座ってもいいですか？…P.230
아무데나 앉아도 돼요? アムデナ アンジャド デヨ?

どこに住んでいますか？…P.39、163、178
어디에 살아요? オディエ サラヨ?

とてもおいしいです。…P.106
아주 맛있어요. アジュ マシッソヨ.

どのくらいかかりますか？…P.158
얼마나 걸려요? オルマナ コルリョヨ?

友だちになってください。…P.188
친구가 돼 주세요. チングガ デジュセヨ.

友だちになりたいです。…P.188
친구가 되고 싶어요. チングガ デゴ シポヨ.

友だちになりましょう。…P.162
친구 해요. チングヘヨ.

取り替えてください。…P.57
갈아 주세요. カラ ジュセヨ.

どれだけ（時間が）かかりますか？…P.46
얼마나 걸려요? オルマナ コルリョヨ?

どれだけ待ちましたか？…P.46
얼마나 기다렸어요? オルマナ キダリョッソヨ?

どれだけ待ちますか？…P.46
얼마나 기다려요? オルマナ キダリョヨ?

な

内緒です。…P.191
비밀이에요. ピミリエヨ.

なぜだめですか？…P.42、247
왜 안 돼요? ウェ アンデヨ?

なぜでしょうか？…P.42
왜지요? ウェジヨ?

なぜですか？…P.42、229
왜요? ウェヨ?

279

なぜ泣くのですか？…P.42
왜 울어요? ウェ ウロヨ？

なぜ笑うのですか？…P.42
왜 웃어요? ウェ ウソヨ？

何がありますか？…P.35
뭐가 있어요? モガ イッソヨ？

何がいいですか？…P.35
뭐가 좋아요? モガ チョアヨ？

何がおいしいですか？…P.35
뭐가 맛있어요? モガ マシッソヨ？

何が嫌いですか？…P.35
뭐 싫어해요? モ シロヘヨ？

何が好きですか？…P.35
뭐 좋아해요? モ チョアヘヨ？

何が違いますか？…P.35
뭐가 달라요? モガ タルラヨ？

何が人気ですか？…P.35
뭐가 인기 있어요? モガ インキ イッソヨ？

何が有名ですか？…P.35
뭐가 유명해요? モガ ユミョンヘヨ？

何をしたいですか？…P.34
뭐 하고 싶어요? モハゴ シポヨ？

何をしますか？…P.34
뭐 해요? モヘヨ？

何を食べますか？…P.34
뭐 먹어요? モ モゴヨ？

何を見ますか？…P.34
뭐 봐요? モバヨ？

名前は何ですか？…P.34
이름이 뭐예요? イルミ モエヨ？

索引

何歳でいらっしゃいますか？…P.45、180
나이가 어떻게 되세요? ナイガ オットケ デセヨ？

何歳ですか？…P.163、180
몇 살이에요? ミョッサリエヨ？

何時からですか？…P.150
몇 시부터예요? ミョッシブトエヨ？

何時ですか？…P.59、148
몇 시예요? ミョッシエヨ？

何時までですか？…P.151
몇 시까지예요? ミョッシッカジエヨ？

何ですか？…P.34
뭐예요? モエヨ？

何と言いましたか？…P.35
뭐라고 했어요? モラゴ ヘッソヨ？

何と言いますか？…P.35
뭐라고 해요? モラゴ ヘヨ？

に

似合いそうですね。…P.76
잘 어울리겠네요. チャル オウルリゲンネヨ.

苦いです。…P.107
써요. ソヨ.

苦いですか？…P.108
써요? ソヨ？

苦いですね。…P.109
쓰네요. スネヨ.

日本語がお上手ですね。…P.238
일본말 잘하시네요. イルボンマル チャラシネヨ.

日本語はできますか？…P.86、152
일본어 할 수 있어요? イルボノ ハルス イッソヨ？

日本語メニューありますか？…P.98
일본어 메뉴 있어요? イルボノ メニュ イッソヨ？

の

飲みたいです。…P.196
마시고 싶어요. マシゴシポヨ.

乗りたいです。…P.204
타고 싶어요. タゴシポヨ.

乗れますか？…P.87、152
탈 수 있어요? タルス イッソヨ？

飲んだことがあります。…P.196
마신 적이 있어요. マシン ジョギ イッソヨ.

は

はい。…P.62
네./예. ネ./イェ.

はい、あります。…P.62
네, 있어요. ネ、イッソヨ.

はい、いいです。…P.73
네, 좋아요. ネ、チョアヨ.

はい、そうです。…P.62
네, 그래요. ネ、グレヨ.

配達お願いできますか？…P.120
배달돼요? ペダルデヨ？

入ってもいいですか？…P.72
들어가도 돼요? トゥロガド デヨ？

履いてみてもいいですか？（靴、靴下に使う）…P.75
신어 봐도 돼요? シノバド デヨ？

はい、わかりました。…P.228
네, 알겠습니다. ネ、アルゲッスムニダ.

はい、わかりました。…P.247、249
네, 알겠어요. ネ、アルゲッソヨ.

はじめまして。…P.50、162、243
처음 뵙겠습니다. チョウム ベッケッスムニダ.

バス停はどこですか？…P.38
버스정류장은 어디예요? ボス ジョンニュジャンウン オディエヨ？

ひ

はめてみてもいいですか？(手袋、指輪に使う) …P.75
껴 봐도 돼요? キョバド デヨ?

早くしてください。…P.104
빨리 해 주세요. パリ ヘジュセヨ.

ビールください。…P.102
맥주 주세요. メクチュ ジュセヨ.

必要ありません。…P.94
필요없어요. ピリョオプソヨ.

ひとつください。…P.102
하나 주세요. ハナ ジュセヨ.

ひとつでいくらですか？…P.47
하나에 얼마예요? ハナエ オルマエヨ?

秘密です。…P.191
비밀이에요. ピミリエヨ.

ふ

ふたつください。…P.102
두 개 주세요. トゥゲ ジュセヨ.

ふたつでいくらですか？…P.47、66
두 개에 얼마예요? トゥゲエ オルマエヨ?

へ

別々に包んでください。…P.68、89
따로 포장해 주세요. タロ ポジャンヘ ジュセヨ.

変更はできますか？…P.86
변경할 수 있어요? ピョンギョン ハルスイッソヨ?

返品できますか？…P.88
반품돼요? パンプンデヨ?

ほ

本当ですか？…P.63、239
정말요? チョンマルリョ?

本当ですか？…P.58
정말이에요? チョンマリエヨ?

本当にお上手ですね。…P.238
정말 잘하시네요. チョンマル チャラシネヨ.

283

ま

ほんとにおいしいです。…P.106
진짜 맛있어요. チンチャ マシッソヨ.

ほんとに上手です。…P.238
진짜 잘해요. チンチャ チャレヨ.

まあまあです。…P.77、227
별로예요. ピョロエヨ.

まけてください。…P.68、88
깎아 주세요. カッカ ジュセヨ.

まずいですか?…P.59
맛없어요? マドプソヨ?

また会いましょう。…P.177
또 봅시다. ト ポプシダ.

また明日会いましょう。…P.52
내일 또 만나요. ネイル ト マンナヨ.

また来ます。…P.94
또 올게요. ト オルケヨ.

まったくわかりません。…P.250
전혀 모르겠어요. チョニョ モルゲッソヨ.

待ってください。…P.57
기다려 주세요. キダリョ ジュセヨ.

待てません。…P.229
못 기다려요. モッキダリョヨ.

み

見えますか?…P.152
보여요? ポヨヨ?

見せてください。…P.57、88
보여 주세요. ポヨ ジュセヨ.

3つでいくらですか?…P.66
세 개에 얼마예요? セゲエ オルマエヨ?

見ているだけです。…P.94
그냥 좀 볼게요. クニャン チョム ポルケヨ.

見てもいいですか？…P.72、74
봐도 돼요? パド デヨ？

見ないでください。…P.57
보지 마세요. ポジ マセヨ.

見ましょう。…P.172
봅시다. ポプシダ.

見られますか？…P.87、152
볼 수 있어요? ポルス イッソヨ？

め

メールアドレスを教えてください。…P.162
메일 주소 가르쳐 주세요. メイルジュソ カルチョ ジュセヨ.

メールをしました。…P.195
메일을 했어요. メイル ヘッソヨ.

メールをします。…P.195
메일을 해요. メイル ヘヨ.

メニューください。…P.101
메뉴 주세요. メニュ ジュセヨ.

も

もう一度言ってください。…P.232、250
다시 한번 말해 주세요. タシハンボン マレジュセヨ.

申し訳ありません。…P.60
죄송합니다. チェソンハムニダ.

もう食べられません。…P.126
더 이상 못 먹어요. トイサン モンモゴヨ.

持ち帰りにしてください。…P.105
포장해 주세요. ポジャンヘ ジュセヨ.

持ち帰ることができますか？…P.124
포장돼요? ポジャンデヨ？

もらいたいです。…P.210
받고 싶어요. パッコシポヨ.

もらいました。…P.210
받았어요. パダッソヨ.

285

や

安いですね。…P.77
싸네요. サネヨ.

安くしてください。…P.68、88
싸게 해 주세요. サゲヘ ジュセヨ.

休みましょう。…P.174
쉽시다. シプシダ.

屋台に行きましょう。…P.175
포장마차에 가요. ポジャンマチャエ カヨ.

やってみましょう。…P.173
해 봅시다. ヘボプシダ.

やわらかいです。…P.107
부드러워요. プドゥロウォヨ.

ゆ

郵便局はどこですか？…P.235
우체국은 어디예요? ウチェググン オディエヨ？

ゆっくり行ってください。…P.137
천천히 가 주세요. チョンチョニ カジュセヨ.

ゆっくり言ってください。…P.57
천천히 말해 주세요. チョンチョニ マレ ジュセヨ.

ゆっくりしてください。…P.208
천천히 하세요. チョンチョニ ハセヨ.

ゆっくりしましょう。…P.208
천천히 합시다. チョンチョニ ハプシダ.

許してください。…P.60
용서해 주세요. ヨンソヘ チュセヨ.

よ

よい一日を。…P.52
좋은 하루 되세요. チョウン ハル デセヨ.

よい週末を。…P.52
즐거운 주말 보내세요. チュルゴウン チュマル ポネセヨ.

よい旅を。…P.52
즐거운 여행 되세요. チュルゴウン ヨヘン デセヨ.

よく眠れましたか？…P.51
안녕히 주무셨어요? アンニョンヒ チュムショッソヨ?

よくわかりません。…P.62、250
잘 모르겠어요. チャル モルゲッソヨ.

読めますか？…P.152
읽을 수 있어요? イルグルス イッソヨ?

予約お願いします。…P.140
예약 부탁드립니다. イェヤッ プタットゥリムニダ.

予約したいのですが。…P.140
예약하고 싶은데요. イェヤカゴ シプンデヨ.

予約はできますか？…P.124
예약돼요? イェヤッテヨ?

予約はできますか？…P.86、152
예약할 수 있어요? イェヤカルス イッソヨ?

よろしいですか？…P.58
괜찮으세요? ケンチャヌセヨ?

よろしくお願いします。…P.50、56
잘 부탁합니다. チャル プタカムニダ.

領収書ください。…P.105、138
영수증 주세요. ヨンスジュン ジュセヨ.

わかりました。…P.62
알겠어요. アルゲッソヨ.

わかりましたか？…P.58
알겠어요? アルゲッソヨ?

私の名前は○○です。…P.164
제 이름은 ○○예요. チェ イルムン ○○エヨ.

私の名前は○○と申します。…P.164
제 이름은 ○○라고 합니다. チェ イルムン ○○ラゴ ハムニダ.

割り勘にしましょう。…P.175
더치페이해요. トチ ペイヘヨ.

● 著 者

鄭惠賢（ジョン　ヘヒョン）
2005年関東学院大学文学部比較文化学科を卒業。在学中より10年間、韓国語講師を務める。現在は韓国在住。著書に『MP3 CD－ROM付き すぐに使える！韓国語フレーズ辞典』『言いまわし自由自在！韓国語活用便利帳』『友だちとの会話に使える！韓国語パンマル便利帳』（以上、池田書店）、『すぐに使える！韓国語日常単語集』（高橋書店）、『文法からマスター！はじめての韓国語』（ナツメ社）などがある。

● スタッフ

コーディネート	安才由紀恵
デザイン	梁木明子
イラスト	坂木浩子
編集協力	(株)エディポック

これだけで通じる！韓国語会話便利帳

● 協定により検印省略

著　者	鄭惠賢
発行者	池田士文
印刷所	大日本印刷株式会社
製本所	大日本印刷株式会社
発行所	株式会社池田書店
	〒162-0851　東京都新宿区弁天町43番地
	電話 03-3267-6821(代)／振替 00120-9-60072

落丁・乱丁はおとりかえいたします。
©Joung Hyehyon 2012, Printed in Japan
ISBN978-4-262-16958-3

本書のコピー、スキャン、デジタル化等の無断複製は著作権法上での例外を除き禁じられています。本書を代行業者等の第三者に依頼してスキャンやデジタル化することは、たとえ個人や家庭内での利用でも著作権法違反です。

25084008